CREA TU PROPIA SUERTE

TÁCTICAS DE ÉXITO QUE NO LE ENSEÑARÁN EN LAS ESCUELAS DE NEGOCIOS

PETER M. KASH

CREA TU PROPIA SUERTE

TÁCTICAS DE ÉXITO QUE NO LE ENSEÑARÁN EN LAS ESCUELAS DE NEGOCIOS

EDICIONES PIRÁMIDE

COLECCIÓN «EMPRESA Y GESTIÓN»

Diseño de cubierta: Anaí Miguel

Fotografía de cubierta: Enríquez, Sergio / Anaya
Leiva, Á de / Anaya

El autor cede sus derechos de remuneración
en español a USP FUNDACIÓN ALEX.

© Peter M. Kash
© Ediciones Pirámide (Grupo Anaya, S. A.), 2009
Juan Ignacio Luca de Tena, 15. 28027 Madrid
Teléfono: 91 393 89 89
www.edicionespiramide.es
Composición: Grupo Anaya
Depósito legal: M. 6.806-2009
ISBN: 978-84-368-2262-5
Printed in Spain
Impreso en Lavel, S. A.
Polígono Industrial Los Llanos. Gran Canaria, 12
Humanes de Madrid (Madrid)

Gracias a mis padres, Leona y Robert, por eliminar de mi vocabulario la expresión «no puedo».

A mi esposa y mejor amiga, Donna, por compartir conmigo el camino de la vida.

Índice

Agradecimientos

No habría podido escribir este libro sin el consejo, la ayuda y el apoyo de muchas personas, y me siento en la obligación de agradecer por escrito la colaboración de algunas de ellas, empezando por el coautor de esta obra, Tom Monte, cuyo don para plasmar sobre el papel pensamientos y visiones es asombroso. Mi agradecimiento especial a mis queridos amigos Anselmo Muñiz, doctor Edmundo Muñiz y Dolly Muñiz, José Luis Díaz y Leticia Várez, Pedro Granadillo, doctor Alejandro Mohar, Javier de Echevarría y Fernando Martín-Laborda; todos tienen pasión por la vida y el deseo de cambiar el mundo en el que vivimos. A Delia Campoverde, que significa tanto para mi familia. También gracias en particular a Casandra, que ha trabajado tan diligentemente para conseguir una traducción que llegará al corazón de todos mis lectores.

Gracias a mis amigos de Two River, Joshua Kazam y David Tanen, sin cuya energía desbordante para mejorar la medicina y la asistencia sanitaria en el planeta, este libro y las conferencias que doy en todo el mundo no serían posibles. La colaboración de mi ayudante ejecutiva, Susan Convery, es imprescindible para que las cosas se hagan; es quien gestiona mis viajes por todo el mundo y mi apretadísima agenda, junto con el trabajo diario, y es una auténtica santa. Lo mismo puede decirse de Pete van Dyke, mi socio y amigo.

Permítanme también dar las gracias a mis colegas y amigos doctor Paul Bolno, doctor David Lau, Ben Bernstein, Chris Wilfong, Tyana Kurtz, Ilan Lapidot, Scott Navins, doctor Jay Lombard, doctor Robert Kline, doctor Ken Pearlman, doctor Ari Belldegrun, y doctor Yuichi Iwaki, que luchan cada día contra el cáncer, el Alzheimer y otras enfermedades.

También quiero dar las gracias a mis primeros mentores en la vida, Robert Harris y Howard Schain, que me enseñaron, siendo yo adolescente, lo que era la compasión y me transmitieron una visión más amplia de la vida. Igualmente quiero expresar mi gratitud hacia mis primeros jefes de hace casi 25 años, Charles Murphy Jr. y Art Carine, de E. F. Hutton, que me dieron lecciones de integridad y responsabilidad. Gracias también al doctor Chris Michelson, antiguo jefe de cirugía de la columna vertebral en el Columbia Presbyterian Hospital, y al doctor Eli Kazan, que me diagnosticaron una lesión dorsal paralizante y que lograron que volviese a andar. Gracias, muy especialmente, también al doctor Mark Seem y a Su Ping Negrin, ambos prestigiosos especialistas en acupuntura, que me abrieron todo un nuevo mundo en el ámbito de la medicina.

Quiero agradecer a mis alumnos por enseñarme más de lo que seguramente han aprendido de mí. Y, por último, gracias a mi mujer, mi confidente y mejor amiga, Donna, y a mis hijos, Jared, Colby, Shantal y Zena, que se han perdido algunas diversiones y juegos para que este libro fuera realidad y, todavía más importante, me han permitido viajar para contribuir a la investigación y financiación de la lucha contra el cáncer.

Prólogo

Cree en ti y en tus sueños

Escribir estas líneas constituye un auténtico placer para mí. Y lo digo con la máxima sinceridad, con el corazón en la mano, porque suscribo todas y cada una de las frases e ideas planteadas en este libro. Crear tu propia suerte, como reza el título, significa apasionarse por lo que haces, entregarte a fondo, creer en ello, ser tenaz y no desistir jamás, aprender de tus errores, mantenerte íntegro, contar y confiar en un equipo de gente buena y buena gente y creer en uno mismo. Significa también que cada uno de nosotros tenemos en nuestras manos, en gran parte, la capacidad de decidir qué camino tomar, qué objetivo fijarnos y cómo alcanzarlo. Y que para ello debemos estar atentos a todo cuanto nos rodea porque aquello más insignificante, el encuentro más imprevisto o el comentario aparentemente más irrelevante puede ser la chispa de donde nace la mejor idea y el más interesante proyecto. La suerte, que nadie lo olvide, es como todo: hay que buscarla, no es fácil, pero si eres tenaz al final lo consigues.

Todo ello nos lo transmite el autor en este libro, y no toca de oído, sino que lo hace basándose en su propia experiencia y en la anécdota para ilustrarlo, es decir, ha escrito su propia partitura. Muchas veces es ésta la mejor manera de que el lector interiorice la lectura y crea que lo mismo que les ha sucedido a personas relevantes a lo largo de la historia y a otras muchas anónimas que han triunfado en la vida les puede suceder a ellos. «El primer miedo es el miedo de ti» cita el autor, y añadiría que muchas veces es también el mayor de nuestros miedos y el que nos impide realmente desarrollar las capacidades que nos convierten en emprendedores. Para vencerlo no existe una fórmula mágica, pero sí un buen consejo: cree en ti firmemente, porque sólo así los demás creerán también en tus ideas. Como decía Nelson Mandela, no es valiente el que no tiene miedo, sino el que sabe conquistarlo.

Por otro lado, es evidente que hay muchas lecturas posibles del concepto de «triunfar», pero el libro también intenta transmitir algo en lo que creo firmemente: triunfar no es ganar mucho dinero, tener éxito social o leer tu nombre en los periódicos; es mucho más que eso. Es dormir tranquilo cada noche; significa creer en unos valores firmes y tener la certeza de actuar siempre en consonancia con ellos; y supone querer más que sentirse querido, vivir cada momento con pasión y entrega y saber aprender, sobre todo, de los errores y disfrutar de los aciertos. Todo ello ayuda, y mucho, en la obtención de aquellos objetivos fijados previamente de forma individual o colectiva, que es bueno tener muy claros desde el principio. No debemos caer en el error que Stefan Vanistendael cita muchas veces cuando dice que «el error es que a veces queremos ser más admirados que amados».

Éstas son sólo algunas de las pautas que aquellos que nos consideramos emprendedores nos atrevemos a sugerir. A partir de aquí, lean de lo que otros han sido capaces aplicando estos principios y creen su propia suerte. Y déjenme que termine con otra cita que para mí es muy especial, de Eleanor Roosvelt: «El futuro pertenece a quienes creen en la belleza de sus sueños».

GABRIEL MASFURROLL
Presidente.
USP Hopistales

Introducción

La mayoría de las personas se incorporan al mundo laboral con una única prioridad en la mente: la gratificación económica. A medida que progresamos en nuestras carreras, llegamos a darnos cuenta de que necesitamos algo más que un sueldo para sentirnos realmente satisfechos y realizados en nuestro trabajo. Como afirmó Maslow, cuando tienes asegurada la supervivencia, surgen otras necesidades. Antes o después, nos damos cuenta de que queremos que nuestro trabajo sea el medio a través del cual desarrollamos nuestros talentos y capacidades. Nos damos cuenta de que necesitamos trabajar en un ambiente de confianza y de respeto mutuo. Queremos que se reconozca nuestra contribución, no en la empresa para la que trabajamos, sino también en nuestra comunidad. Los retos a los que nos enfrentamos en nuestro trabajo deberían ayudarnos de algún modo a convertirnos en seres humanos plenos y desarrollados. Queremos crecer para llegar a dar lo mejor de nosotros mismos.

Ante esta visión, muchas personas me dicen irónicamente: «Eso es pedir mucho, ¿no?».

Tal vez, respondo, pero merece la pena recordar que tu trabajo supone más o menos una tercera parte de tu vida adulta, o aproximadamente la mitad de las horas que estás despierto, lo que significa que tu trabajo tendrá un impacto en tu vida que no se limita exclusivamente a tu cuenta bancaria. El tipo de trabajo que realizas, el espíritu con el que lo realizas y el ambiente en tu lugar de trabajo, todo ello conjugado, conforman la persona que eres. No resulta exagerado decir que el trabajo es el destino, porque tu trabajo te transformará.

Pregúntate si la nómina es lo único realmente importante para ti. Si no es así, entonces pregúntate qué otras cosas te importan en un trabajo. Si tienes la necesidad imperiosa de expresar tus propias ideas y creatividad; si necesitas desarrollar tu talento; si un ambiente de confianza y de respeto mutuo es esencial; si desarrollarte como ser humano es un requisito indispensable para tu felicidad; y, en efecto, si necesitas una compensación económica acorde con tus capacidades, entonces, todo lo demás no es un lujo, se trata de necesidades vitales. No estarás plenamente satisfecho con tu vida si no cubres estas necesidades. Hazte una pregunta muy sencilla: ¿En qué tipo de persona me convertiré si mi trabajo no me proporciona estas oportunidades y experiencias? Probablemente no te guste la respuesta.

Este libro es una guía práctica para ayudarte a colmar esas necesidades básicas en tu trabajo y en tu carrera. Mi intención es mostrar cómo puedes hacer que tu trabajo te brinde una vida gratificante y plena, y en ese proceso convertirte en la persona que quieres ser.

El primer paso para conseguir tal cambio es tener claro qué quieres de tu trabajo y de tu carrera. El segundo es saber qué tienes que hacer para satisfacer esas necesidades. En este libro intento mostrar cómo se puede conseguir.

Las personas creen que es peligroso pedirle demasiado a la vida, que puede llevarte a la desilusión y al fracaso. De hecho, es peligroso pedir demasiado y también pedir demasiado poco. Si no tienes grandes expectativas, te exigirás poco y sólo experimentarás pequeñas gratificaciones. Es una fórmula perfecta para la insatisfacción, la desilusión y el fracaso. Si pides mucho, también puedes sentirte insatisfecho, pero sólo si tienes grandes sueños y te exiges poco a ti mismo a la hora de intentar alcanzarlos.

Aun así, en mi opinión, el verdadero peligro en la vida no radica en la cuestión de pedir demasiado o demasiado poco. Ésa no es la cuestión, porque implica que el trabajo con el que sueñas te vendrá dado. Y el trabajo con el que sueñas no te va a caer del cielo; nadie te dará un trabajo perfecto, tienes que crearlo tú.

El trabajo consiste, a grandes rasgos, en una serie de tareas generales. Lo que importa es cómo realizas dichas tareas, el espíritu con el que las llevas a cabo, y cómo te relacionas con los demás en el desempeño de las mismas. Tu trabajo se crea en función de un conjunto único de talentos idiosincrásicos y características de tu personalidad. Tu comportamiento, experiencia, actitudes y espíritu afectan al modo en que las personas se relacionan contigo. A lo largo de ese proceso, esas características pueden darte o quitarte oportunidades. Así se construye una carrera, para bien o para mal. Eres mucho más responsable de tu destino de lo que piensas.

En este libro pretendo mostrar cómo puedes crear el tipo de carrera que realmente deseas en tu vida. En efecto, mi intención es proporcionarte una hoja de ruta general para alcanzar el destino que deseas.

Como expongo con detalle, todos nosotros debemos aprender determinadas estrategias esenciales para alcanzar el éxito. Debemos empezar por ser conscientes de que, por lo general, las oportunidades surgen en nuestras vidas como coincidencias. Esas coincidencias se presentan, a su vez, de manera poco llamativa. Por ejemplo, puede que inesperadamente conozcas a alguien que termina ofreciéndote una oportunidad que nunca habrías imaginado, una oportunidad que puede cambiar tu vida. O puede que te encuentres en una situación —por ejemplo, en una conferencia o en una reunión social—

en la que conoces de manera imprevista a alguien que puede significar mucho en tu carrera. En ambos casos, la coincidencia prepara el escenario, por decirlo de algún modo. Entonces te corresponde a ti aprovechar la oportunidad. En este libro ofrezco orientaciones sobre cuándo debe darse el paso decisivo y cuándo debe uno contenerse.

«¿Y si fracaso?», me pregunta la gente. Permítanme exponerlo con el mayor tacto posible: puedo garantizarles que fracasarán una y otra vez. El fracaso, como explico detenidamente en el capítulo 3, es una experiencia esencial en el camino hacia el éxito. La cuestión no es si vamos a fracasar, sino qué hacer después de fracasar. He estudiado la vida de personas de todo el mundo que han alcanzado el éxito. Todos ellos han experimentado el fracaso reiteradamente. Sin embargo, a diferencia de muchas personas que se sienten fracasadas, éstas no permitieron que el fracaso les impidiera tener éxito.

A lo largo del libro hablo mucho de cómo crear oportunidades, pero merece la pena adelantar dos aspectos. El primero son los valores. La persona que eres está determinada por tus valores que, a su vez, determinan tu comportamiento. Tu comportamiento determinará cómo afectas a los demás, lo que, a su vez, determinará el número de oportunidades que las personas te ofrecen. Nunca olvides que tus valores se manifiestan. Antes o después, las personas sabrán quién eres y cuáles son los valores que motivan tus acciones.

Uno de los modos más eficaces de generar grandes oportunidades es especializarse y convertirse en experto en un único ámbito de tu profesión. Desarrolla tus conocimientos y habilidades en un área determinada para superar a tu competencia, y llegarás a ser conocido en tu campo. Adquirir una gran pericia es una de las claves para incrementar el poder y la riqueza.

Un hombre muy sensato me dijo en una ocasión: «Puedes conseguir lo que quieras en la vida. Todo lo que tienes que hacer es jugártela para conseguirlo». Sabia reflexión, porque resume algo fundamental en la vida: todo tiene un precio, pero, incluso si lo pagas, nada garantiza que obtendrás lo que quieres. La vida es un juego.

Lo único que puedes controlar son tus pensamientos y tus acciones. Pero tus pensamientos y tus acciones te dan un enorme poder para influir en los acontecimientos y determinar cómo se comportarán los demás contigo. Significa que el poder que tienes para convertir tu trabajo en el trabajo ideal empieza por ti mismo; no depende de tu jefe o de tus colegas. Nadie más puede hacer que te conviertas en un experto en lo que haces; nadie más puede hacer de ti una persona rica en valores duraderos. A medida que te conviertes en el tipo de persona que respetas y admiras, te irás convirtiendo progresivamente en el tipo de persona hacia quien los demás se vuelven en busca de orientación y liderazgo.

El precio de toda meta —ya sea en tu carrera, en tu economía o en tu familia— es tiempo, energía, concentración y compromiso. Debes aportar estos cuatro elementos si quieres crecer y prosperar en la vida. Dispones de una cantidad limitada de cada uno de estos elementos, por lo que no puedes emplearlos de cualquier manera en cualquier cosa que surja. La vida exige elegir, y las elecciones determinan lo que consigues en la vida. Elegimos sobre la base de lo que realmente nos importa. Por lo tanto, elige lo que sea más importante para ti y dedícate —es decir, dedica tu tiempo, tu energía, tu concentración y tu compromiso— a ello. Tendrás muchas probabilidades de conseguir lo que quieres en la vida.

En la lucha por alcanzar nuestras metas, a menudo olvidamos que recibimos ayuda de misteriosos vientos de la vida. Surgen de la nada oportunidades que no habríamos esperado nunca. Estas oportunidades configuran nuestra carrera y, al final, determinan nuestro destino. No intento buscar una explicación al misterio que subyace a tales acontecimientos, a los que denomino la red de la vida, porque no puedo hacerlo. Lo único que puedo hacer es reconocer que están ahí y enseñar a la gente cómo debe aprovecharlos.

En este libro he intentado poner sobre la mesa lo que realmente es importante para crear una carrera gratificante y con éxito. En efecto, he intentado revelar algunos de los elementos esenciales para crear una vida plena y feliz.

PETER KASH

1 | Coincidencias mágicas

Aprendemos más del fracaso que del éxito.
A menudo descubrimos qué es lo que funciona tras
comprobar qué es lo que no funciona. Aquel que nunca comete
un error, difícilmente hará ningún descubrimiento.

SAMUEL SMILES

En la primavera de 1988 estaba sentado en mi despacho a las 7:30 de la mañana cuando sonó el teléfono. La voz de la persona que llamaba, con tono claro, que denotaba autoridad y algo de impaciencia, preguntó por alguien a quien yo no conocía. En lugar de contestarle que se había confundido de número, le pregunté cómo se llamaba, aplicando el consejo que le doy a mis alumnos de la Escuela de Negocios de la Universidad Wharton de Pensilvania: nunca se sabe quién puede estar al otro lado de la línea. Entérate.

Me dijo su nombre y que era el productor ejecutivo de un programa informativo titulado «Financial News Network».

—Lo siento, se ha equivocado de número —contesté—, pero si alguna vez necesita a un experto en economía japonesa y biotecnología, dígamelo. Estaré encantado de participar en un programa como invitado —le dije, dándole mi nombre y número de teléfono antes de colgar.

Seis meses después, Ellyse Newman, productora de FNN, me llamó por teléfono desesperada, para invitarme a un programa sobre economía japonesa. Por lo visto, el experto que debía participar en el programa, un banquero japonés, había cancelado su asistencia en el último minuto. Me alegré de poder hacerle el favor, y resultó que el programa tuvo tanto éxito que la cadena me ofreció aparecer en una emisión quincenal de la FNN titulada «International Spotlight». Así lo hice durante unos dos años hasta que la CNBC compró la cadena.

Durante toda mi vida he cosechado los frutos que me han brindado momentos a los que solemos referirnos como coincidencias. Me dedico profesionalmente al capital riesgo, es decir, busco fondos para poner en marcha o para apoyar tecnologías médicas punteras en todo el mundo. Mi especialización es la biotecnología. La mayoría de las empresas para las que busco financiación investigan las enfermedades que más azotan al mundo —cáncer, diabetes, sida, afecciones coronarias, enfermedades infecciosas y diferentes tipos de afecciones genéticas—. A lo largo de los últimos 20 años, mis socios y yo hemos llegado a recaudar mucho dinero —más de 500 millones de dólares—. En la gran mayoría de los casos, el retorno sobre estas inversiones ha sido muy significativo, llegando en algunos casos a multiplicarse por diez o por veinte. Pero también he tenido mi dosis de fracasos. Como bien dice el mentor de *Jerry Maguire* al final de esa magnífica película, he fracasado tantas veces como he tenido éxito. Sin embargo, como me gusta decirles a mis inversores potenciales, si nos arruinamos todos, nos habremos arruinado intentando construir un mundo mejor para nuestros hijos. Es posible que suene algo pretencioso, pero realmente así lo creo y, en cualquier caso, es cierto. Muchas de las empresas que hemos apoyado han conseguido avances científicos y médicos que han cambiado el mundo.

Además de mi trabajo en el ámbito del capital riesgo, también doy clases de Empresa en la Escuela de Negocios Wharton, la número uno en este campo en Estados Unidos, y soy profesor visitante en la Universidad Nihon de Japón.

A lo largo de mi carrera he mantenido relaciones con muchas empresas, he cerrado muchas operaciones y puedo decir que los acontecimientos inesperados han desempeñado un papel importante en el éxito o en el fracaso de prácticamente todas ellas. En los casos de mayor éxito, siempre ha habido lo que podríamos llamar coincidencias mágicas que han brindado magníficas oportunidades. Reconocer las oportunidades implícitas en esos acontecimientos que parecen coincidencias constituye una de las claves más importantes para el éxito.

En este libro voy a enseñarles cómo encarrilar su carrera por la senda más segura para alcanzar el éxito. Las directrices que proporciono son válidas para cualquier persona, en cualquier nivel de su carrera. Después de más de dos décadas haciendo negocios, he llegado a la conclusión de que las recomendaciones que esbozo aquí constituyen verdades fundamentales sobre la vida, y son tan válidas para los jóvenes como para los líderes más consolidados. Son fundamentales para el éxito, independientemente de la nacionalidad o del grado de formación. De hecho, constituyen la base para tener éxito en los negocios en cualquier parte del mundo. Una vez que haya asumido como propios estos comportamientos, valores y perspectivas —es decir, cuando formen parte de su vida diaria— verá transformarse todos los aspectos de su carrera. Es más, transformarán su vida.

El primer comportamiento al que me referiré es muy sencillo, al menos aparentemente. Se trata del arte de reconocer una oportunidad cuando surge y gestionarla hasta que dé fruto. Lamentablemente, no resulta tan fácil como parece a primera vista, en parte porque la mayoría de las oportunidades llegan de manera inesperada, normalmente como extrañas coincidencias y discretamente disfrazadas. Por eso, a menudo, ignoramos o descartamos oportunidades de oro. Quienes son capaces de percibir la oportunidad cuando ésta surge y saben cómo alimentarla, tienen el éxito prácticamente asegurado. Permítanme que les de otro ejemplo.

1. El hombre de la puerta giratoria

Durante varios años estuve intentando ponerme en contacto con uno de los hombres más ricos del mundo para convencerlo de que invirtiera en una empresa dedicada a la producción de tecnologías médicas de vanguardia, incluyendo nuevos tratamientos para enfermedades infecciosas y mortales. Resultó ser inusualmente difícil llegar hasta esa persona, que mantendré en el anonimato para preservar su intimidad. Era tremendamente frustrante porque la empresa a la que yo representaba estaba bajo la dirección de un científico excepcional que, en mi opinión, revolucionaría la medicina en los años venideros. El problema, claro está, era que necesitaban dinero desesperadamente para llevar a cabo su trabajo.

Estaba a punto de rendirme en mi empeño por contactar con esa persona cuando un día entré en un edificio de oficinas de Park Avenue, en Nueva York, por la puerta giratoria. De repente, la puerta se atascó y quedé atrapado en uno de sus compartimentos. A través del cristal pude ver a un hombre de unos sesenta años, claramente contrariado, atrapado en el compartimento opuesto al mío. Lo reconocí inmediatamente, era el hombre con el que había estado intentando ponerme en contacto a lo largo de los últimos años. Empujé la puerta con fuerza y noté que empezaba a girar de nuevo.

Como él estaba en el compartimento que llevaba fuera del edificio, y yo estaba en el que daba al interior tuve que darme prisa para alcanzarle cuando salía del edificio. Una vez en la calle, lo llamé por su nombre. Se dio la vuelta y me observó detenidamente. Enseguida me presenté y le expliqué que era un inversor de banca de Wall Street que había intentado ponerme en contacto con él. Sin más, le di mi tarjeta. Caminamos juntos durante un rato por Park Avenue y le expliqué muy brevemente a qué me dedicaba. Para terminar, le dije que si alguna vez necesitaba mis servicios, no dudara en llamarme.

Al día siguiente, su secretaria me llamó para citarme en su despacho, donde estuvimos charlando durante más de una hora. Dos semanas después invirtió en la empresa cuyo trabajo científico yo esperaba que apoyara.

Estaba encantado de que hubiera decidido ayudar a ese grupo de científicos —de hecho, él y otros tres millonarios han financiado su trabajo—, pero lo que me pareció increíble, como me pasa siempre que ocurren estas cosas, es que después de años de intentar ponerme en contacto con él sin éxito, me lo encontrara inesperadamente en una puerta giratoria que se atascó en el preciso momento en el que los dos nos encontrábamos ahí. Me gustaría saber cuál es la probabilidad de que ocurra algo así. A partir de ese hecho improbable, muchas vidas se verán afectadas, incluyendo la suya y la mía, la de los científicos cuyo trabajo apoyará y la de las innumerables personas a las que pueden ayudar los avances que consigan estos científicos.

2. Conexiones misteriosas

¿Qué es lo que reúne a las personas? ¿Cómo es posible que el hecho de que un productor de televisión se equivoque de número conecte a dos personas que tienen intereses mutuos y, posteriormente, necesidades compartidas? Me gustaría saber cuáles son las probabilidades de que dos personas se encuentren en una puerta giratoria y terminen participando en un avance científico que puede afectar a la vida de millones personas.

No hay motivos racionales que expliquen por qué se producen estas situaciones improbables en nuestras vidas. En mi opinión, esas «coincidencias» demuestran que hay algo misterioso y subyacente en la vida que nos vincula a todos. Son el síntoma externo, un recordatorio por decirlo de algún modo, de las redes de la vida que conectan constantemente a las personas a las que les corresponde unirse y que, en tal proceso, nos brindan oportunidades de éxito y de realización.

A todos nos ocurren estos «accidentes». ¿Cuántas veces has conocido a alguien, o has experimentado una coincidencia, y después te has sorprendido diciendo: «¡Qué pequeño es el mundo!»? Todos hemos empleado esa frase alguna vez.

Piensa en todas las situaciones inesperadas que propiciaron, mágicamente, tu primer encuentro con la persona que se convertiría en tu cónyuge. Recuerda, también, todos los pequeños acontecimientos que tuvieron que coincidir y armonizarse para que consiguieras un trabajo importante o para que conocieras a alguien que ha desempeñado un papel significativo en tu vida. Siempre hay un elemento mágico en tales oportunidades, como si estuvieran orquestadas.

Las circunstancias que propiciaron mi primer encuentro con la que se convertiría en mi esposa fueron extrañas, pero seguramente no más extrañas que las que rodearon tu primer encuentro con alguien importante en tu vida.

Cuando terminé la carrera, en 1983, viví en el extranjero un par de años. Durante esos años hojeaba de vez en cuando el anuario de mi promoción de la universidad. Por razones que nunca alcancé a entender, siempre terminaba mirando la fotografía del anuario de una mujer en particular que se había licenciado el mismo año que yo. El nombre de la mujer aparecía en el pie de foto: Donna Friedman. No recuerdo haberla visto nunca en el campus de Binghamton de la State University de Nueva York, lo que no era sorprendente, ya que éramos más de 10.000 estudiantes. Y sin embargo había algo en Donna Friedman que me atraía. Me preguntaba por qué no nos habíamos conocido nunca.

Tres años después estaba con varios amigos en Rascals, una discoteca de Nueva York. En un momento determinado, uno de ellos señaló a tres atractivas mujeres que estaban al otro lado de la pista de baile y me dijo:

—Conozco a una de esas chicas. Vamos y te la presento.

Mientras nos abríamos paso por la discoteca, no podía creer lo que veían mis ojos. Una de las mujeres del grupo no era otra que Donna Friedman. Su rostro me resultaba inconfundible. Mi amigo me presentó a una de las otras chicas que, a su vez, nos presentó a Donna.

—Te licenciaste en Binghamton en 1983 —le dije.

Evidentemente sorprendida, se rió cordialmente y dijo:

—¿Cómo lo sabes?

Le expliqué que yo también había estudiado en Binghamton (y de momento no dije nada de la historia del anuario). Pero mientras hablábamos me sentí irresistiblemente atraído por ella. Era como si ya la conociera, pero al mismo tiempo todo en ella era nuevo y excitante. Cuando esa noche volvía a casa con mis amigos, les dije que había conocido a la mujer con la que me iba a casar, como en efecto hice el 3 de julio de 1990.

A todo el mundo le han ocurrido anécdotas como ésta. Nuestras vidas están constituidas por inexplicables coincidencias y encuentros fortuitos. Muchos de nosotros nos hemos salvado milagrosamente de sufrir un accidente simplemente porque nos entretuvimos un segundo más en la esquina o porque nos encontramos con un amigo por el camino. Otras personas se sentaron en un tren y conocieron a su futuro cónyuge o se encontraron con un familiar al que habían perdido la pista hacía tiempo. Me gusta, muy especialmente, la anécdota, tantas veces contada, de un agente de policía de Los Ángeles, Kelly Benítez, que, el 18 de septiembre de 1998, paró a un conductor que llevaba la matrícula del coche caducada, y descubrió que quien conducía el coche era su padre, del que no sabía nada desde hacía mucho tiempo. Se habían separado cuando Kelly tenía cuatro meses. Ninguno de los dos sabía que el otro vivía en Los Ángeles. Por una de esas extrañas vueltas que da la vida, Kelly Benítez estaba a punto de terminar su turno cuando vio el coche con la matrícula caducada. Pensó en dejar que otro policía se ocupara del asunto, pero decidió hacerse cargo del tema él mismo. A medida que Kelly le iba haciendo preguntas al conductor, se fue dando cuenta de quién era éste, pero antes de poder articular palabra, el propio conductor, Paul Benítez, dijo:

—¿Eres Kelly? Soy tu padre.

Normalmente decimos que tales hechos «estaban predestinados», otra expresión que revela que en el subconsciente, de un modo sutil, sabemos de la existencia de las redes de la vida. Sabemos que están ahí, y cuando nos encontramos ante tales situaciones nos parece increíble, pero nos negamos a aceptarlo de manera consciente. Y sin embargo, si lo pensamos, nos damos cuenta de que la mayoría de las conexiones importantes que hacemos en nuestras vidas, y sin duda en los negocios, se producen «por casualidad» o son «coincidencias»: un amigo común te presenta casualmente a alguien que termina convirtiéndose en el eje de tu vida, o una serie de acontecimientos te conducen a una experiencia que cambiará tu vida.

Estos hechos causales no son necesariamente extraordinarios. En mi opinión, se nos presentan regularmente. En efecto,

si nos abrimos a las oportunidades implícitas en las coincidencias, podemos hacer grandes cosas. Pueden producirse acontecimientos que no sólo tengan un impacto en tu vida, en la vida
de tu familia y en la empresa para la que trabajas, sino incluso en el devenir de las naciones. La experiencia que expongo
a continuación ilustra precisamente este aspecto.

3. Lo que dos personas y la coincidencia pueden hacer

Una cálida noche de verano de 1991 salí con prisa de mi
habitación en el hotel Grand Hyatt de Seúl, Corea del Sur, y
tomé por los pelos el ascensor cuyas puertas empezaban a
cerrarse. Por falta de costumbre o por impaciencia, pulsé el
botón de la primera planta, que ya estaba iluminado. Al otro
lado del ascensor había un coreano de mediana edad que me
miró, sonrío y, en perfecto inglés, me preguntó si era americano.

—Sí —contesté.

—Sentía curiosidad, ya que muy pocos americanos se
hospedan en este hotel —dijo. Era un hombre apuesto, con
traje oscuro, camisa blanca y una llamativa corbata.

Le expliqué que estaba en Seúl por motivos profesionales
y que asistía a una conferencia que se estaba celebrando en
el Grand Hyatt. En cuanto terminé de pronunciar estas palabras, el hombre me preguntó si me gustaría cenar con él la
noche siguiente.

—Lo siento —contesté—, pero me marcho mañana a Nueva York.

Me preguntó si podría quedarme un día más. Le contesté
que me resultaba imposible, ya que poco después de volver
a Nueva York tenía que viajar a Israel.

—¿Israel? —dijo—. Nunca he estado allí. ¿Le importaría que fuera con usted?

Sé lo que están pensando, pero percibí la sinceridad de ese hombre. Algo en él sugería que no era simplemente un hombre de negocios solitario que sentía curiosidad por los americanos.

En el vestíbulo del hotel intercambiamos nuestras tarjetas de visita. Se llamaba Bruce Lee (evidentemente, me contuve de hacer el chiste fácil). Era abogado y había estudiado en Estados Unidos, lo que explicaba su perfecto dominio del inglés. Dijo que su especialidad eran las inversiones internacionales e inmobiliarias. Parecía que teníamos algo en común. Le dije al señor Lee que viajaría a Israel con mi mujer, pero que estaría encantado de que nos acompañara, y que si le interesaba, podría presentarle a algunos de los hombres de negocios más importantes del país.

Nos dimos la mano y nos fuimos cada uno por nuestro lado. Pensé que nunca volvería a tener noticias suyas. Sin embargo, dos semanas después, el señor Lee me llamó por teléfono para decirme que estaba en Nueva York con su mujer y que estaban dispuestos a acompañarnos a nuestro viaje a Israel.

Al día siguiente de llegar a Tel Aviv, los Lee, mi mujer, Donna, y yo nos reunimos para tomar una copa en el restaurante del hotel Sheraton. La señora Lee no hablaba inglés, así que el señor Lee traducía la conversación a su mujer. En un momento dado, le pregunté al señor Lee a qué se dedicaba su mujer en Corea.

—Organiza recepciones diplomáticas —contestó.

Extraña ocupación, pensé. De repente, me vino a la cabeza una pregunta todavía más absurda, y sin poder evitarlo le pregunté:

—¿A qué se dedica el padre de su mujer?

—Es el Presidente de Corea —dijo el señor Lee.

Creyendo que no le había entendido bien, puntualicé:

—¿Presidente de qué empresa?

—No, de ninguna empresa; del país —contestó.

Acto seguido, llamé a un amigo que organizó una reunión con Shalom Zinder, director general de Asuntos Financieros del Estado de Israel. La reunión entre Lee y Zinder abrió todo tipo de posibilidades para ambos países. Durante la conversación, el señor Lee solicitó visitar la Embajada de Corea en Israel. Le informaron de que no había Embajada de Corea. Las relaciones entre Israel y Corea eran, en el mejor de los casos, superficiales. Al escuchar esto, Lee torció el gesto.

Un año después de celebrarse esta reunión, se abrió la Embajada de Corea en Israel y ambos países entablaron una era totalmente nueva en sus relaciones. En la actualidad, Corea es uno de los principales socios comerciales per cápita de Israel, generando unos ingresos de varios miles de millones de dólares. Y todo empezó por un encuentro absolutamente fortuito entre dos hombres en un ascensor al otro lado del mundo.

* * *

Desgraciadamente, la mayoría de las personas pasan de largo ante oportunidades como ésta por la sencilla razón de que este tipo de oportunidades se presentan ante nosotros de un modo y en momentos inesperados: una llamada de teléfono fortuita o un encuentro improbable en un ascensor, por ejemplo. El hecho de no reconocer esas oportunidades es todavía más desesperante en la medida en que, cuando se producen en nuestras vidas, esos momentos inesperados suelen anunciarse. Es cierto que dichos «anuncios» se presentan por lo general como un susurro, un suave empujón o un leve pero palpable impulso de actuar. Las sensaciones son sutiles, sin duda alguna, pero están ahí. Lamentablemente, la mayoría de nosotros ignora la llamada. Es como si nos encogiéramos en presencia de un regalo.

4. Por qué rechazamos el regalo

Evidentemente, una de las principales razones por las que rechazamos el obsequio es por temor. Pensamos que si decidimos actuar podríamos sufrir algún daño o sentirnos decepcionados porque fracasaremos. El temor nos cierra las posibilidades; encoge nuestra imaginación y nos impide ver el lado bueno de una persona o el potencial de un acontecimiento. El temor surge porque, a medida que nos aventuramos en lo desconocido, creemos que algo malo va a ocurrir. En realidad, no sabemos qué puede ocurrir, pero damos por hecho que será malo y por lo tanto nos resistimos a ello.

Albert Einstein decía que todo el mundo debería hacerse y contestar una única pregunta. Y la pregunta es la siguiente: ¿Es el universo un lugar acogedor? Como bien decía Einstein, nuestra respuesta a esa pregunta determina tanto nuestra personalidad como la calidad de nuestras vidas. También determina si consideramos las coincidencias como un peligro o como una oportunidad.

Para aquellos que contestan «sí, el universo es fundamentalmente un lugar acogedor, al menos para mí», la vida está llena de posibilidades, en gran medida porque esas personas son capaces de actuar de manera positiva y proactiva cuando se presenta ante ellos una oportunidad fruto de la «coincidencia».

Tomemos, por ejemplo, la experiencia de mi buena amiga, la actriz Fran Drescher, que se encontró sentada en el mismo vuelo que Jeff Sagansky, el presidente de CBS Networks, hace seis años. En aquella época, Fran había hecho papeles secundarios en algunas buenas películas, incluyendo *Fiebre del sábado noche,* pero todavía no había alcanzado el éxito que estaba a punto de cosechar. Fran tenía lo que pensaba que era una gran idea para una serie televisiva semanal: una comedia costumbrista que tituló *La niñera.* Sabía que podía hacer que ese programa funcionara si conseguía presentárselo a la persona adecuada. Y ahora, por alguna extraña coincidencia, se encontraba sentada en la misma cabina de primera clase que Jeff Sagansky, justo la persona que podría hacer realidad su idea. Su momento había llegado y ella lo sabía. Fran se levantó de su asiento, fue al baño, se miró al espejo y repitió varias veces las palabras *carpe diem.* Al volver a su asiento, reparó «casualmente» en el señor Sagansky.

—¡Qué sorpresa! Soy Fran Drescher.

Durante seis años, *La niñera* encabezó las listas de programas de mayor audiencia, convirtiéndose en uno de los grandes éxitos de la CBS, que se emite a través de varias cadenas en todo el mundo.

El valor de Fran fue posible en primer lugar porque reconoció la oportunidad implícita en la coincidencia de la presencia de Sagansky; en segundo lugar, creía que, si le presentaba su programa, Jeff Sagansky la escucharía con imparcialidad; y en tercer lugar, creía en sí misma lo suficiente como para causar una buena impresión, incluso una excelente impresión. Básicamente, confiaba en el carácter favorable de las circunstancias, lo que propició que asumiera el riesgo. Como demostró su experiencia, estaba en lo cierto, y gracias a ello su sueño se hizo realidad.

Hacer que las redes de la vida funcionen depende de hasta qué punto estamos abiertos a las posibilidades implícitas en las coincidencias. No me malinterpreten. No estoy sugiriendo que haya que actuar de manera insensata o saltar a lo loco sobre situaciones aparentemente peligrosas. Todo lo contrario, confíe siempre en su instinto. Cuando se presentan coincidencias portadoras de obsequios, te invitan y te abren los ojos a posibilidades al alcance de la mano. En ese momento, lo único que te retiene y limita tu potencial de crecimiento y de éxito es el miedo. Debe saber que cuando la coincidencia y la inspiración se presentan, hay muchas posibilidades de que estés ante el inicio de una larga cadena de acontecimientos que te llevará al éxito. Como le ocurrió a Tom Stemberg.

Tom Stemberg llevaba muchos años trabajando como encargado de supermercado y llegó a convertirse en presidente de Edwards-Finast. Un día le despidieron de su trabajo. Estando todavía en el paro, Tom estaba comprando en unos grandes almacenes de Massachusetts y observó que los productos de la sección de material de oficina estaban esparcidos caóticamente en las estanterías. «Hay mucha actividad aquí —se dijo Tom—. Debe tratarse de una línea de productos con mucho éxito, ¡pero menudo desorden! Los encargados de la tienda no mantienen esta sección, lo que significa que no son conscientes de lo importantes que son realmente estos productos.» De repente se le encendió una luz. ¿Por qué no abrir una tienda especializada exclusivamente en artículos de oficina? Inspirado por esa gran idea, Tom consiguió reunir el capital que necesitaba para poner en marcha la cadena Staples, que actualmente factura más de 5.000 millones de dólares al año.

Tal vez, si Tom hubiera aparecido en esa tienda cualquier otro día, los artículos habrían estado perfectamente ordenados en las estanterías, o puede que no hubiera tenido la clarividencia de percibir el mensaje subyacente implícito en esas estanterías desordenadas. Pero los acontecimientos se presentaron de manera simultánea —al igual que la financiación— y así nació Staples.

5. Las más insignificantes coincidencias pueden desembocar en algo grande

Creo que si echamos la vista atrás para analizar las carreras de grandes personalidades, encontraremos algún momento fundamental que cambió la dirección de sus vidas y que, en efecto, los puso en el camino para alcanzar logros prodigiosos. Si observamos más de cerca, veremos que, muy a menudo, ese momento fundamental corresponde a un acontecimiento aparentemente trivial, una mera coincidencia, que lo cambió todo. Tomemos, por ejemplo, la experiencia de David Sarnoff, el hombre que hizo de la RCA el gigante corporativo que conocemos en la actualidad.

En 1906, un chaval de 15 años que se llamaba David Sarnoff decidió buscar trabajo como reportero en el *New York Herald*. Sarnoff no tenía aptitudes especiales, su nivel de formación era deficiente y, por lo visto, su sentido de la orientación dejaba mucho que desear, porque el día que fue a la entrevista en el *Herald* terminó por casualidad en las oficinas de Commercial Cable Company, una empresa de telégrafos situada en el mismo edificio que el periódico.

—Estoy buscando trabajo en el periódico —le dijo al encargado de la oficina de la empresa de telégrafos.

—Pues en el *Herald* no sé —le contestó el encargado—, pero a nosotros nos vendría bien otro chico de los recados en la empresa.

En ese momento, Sarnoff tenía que tomar una decisión. Podría haber rechazado la oferta educadamente y haber terminado encontrando las oficinas del *Herald*. Sin embargo, aceptó el trabajo. Una vez allí, Sarnoff estudió la industria del telégrafo y le fascinaron las posibilidades que ofrecía la comunicación sin cables. Había dado con toda una nueva forma de comunicación que empezaba a unir lugares distantes y gentes alejadas.

Unos meses después, Commercial Cable Company lo despidió porque pidió unos días para la celebración de la fiesta sagrada judía. Pero para entonces Sarnoff ya había encontrado su hueco en la vida, y la empresa Marconi Wireles Telegraph Company lo contrató inmediatamente. A partir de ahí empezó su largo ascenso de chico de los recados a presidente de la compañía que posteriormente se llamaría Radio Corporation of America, o RCA. Bajo la presidencia de Sarnoff, RCA se convertiría en pionera del desarrollo de la radio, la televisión y los programas de entretenimiento. Y todo empezó cuando, siendo un chaval, cometió un «error» entrando en la oficina «equivocada».

6. La prodigiosa memoria de las redes

Las redes de la vida parecen tener una excelente memoria y un alcance todavía mayor, devolviéndonos a cada uno buena o mala fortuna, dependiendo de lo que hayamos sembrado. El bien que haces no se olvida nunca, creo. De hecho, a lo largo de la vida he comprobado en varias ocasiones que así es, y muy a menudo en el momento en que más lo necesitaba.

El 9 de septiembre de 2001, la señora Gotlin murió tras librar una larga batalla contra el cáncer. Conocía a Marsha Gotlin, hija de la señora Gotlin, de Brooklyn, desde principios de los años sesenta. Marsha y yo retomamos el contacto después de casi 30 años y, como trabajo con fármacos contra el cáncer, estuve en contacto con su familia y la lucha de su madre. El marido de Marsha es el doctor Robert Gotlin, traumatólogo de los NY Knicks, y en la actualidad tiene su propio programa de radio sobre salud. Lo importante de esta historia es que la señora Gotlin podría haber muerto cualquier día, pero murió el 9 de septiembre. Su funeral se celebró el 11 de septiembre de 2001, a las nueve de la mañana. Varios cientos de personas asistieron al funeral, incluidas quince personas que trabajaban en las Torres Gemelas y en el centro de Manhattan. Dos de estas personas trabajaban por encima del piso 50 de las Torres. Si la señora Gotlin hubiera muerto un día antes o un día después, se habrían producido todavía más muertes en los atentados contra las Torres Gemelas. Uno nunca sabe cómo o por qué funciona la red de la vida, e incluso una muerte puede tener un impacto en otras vidas.

Cuando tenía un año, mis padres tenían una casa en Brooklyn dividida en dos viviendas y alquilaban el apartamento de la planta baja a los Franco, una familia de refugiados cubanos, formada por el marido, la mujer y un niño de cinco años. La señora Franco no hablaba nada de inglés, y por la noche, el niño, que se llamaba Izzy, subía a nuestra casa para que mi madre le ayudara a hacer los deberes. A medida que yo iba creciendo, observaba cómo mi madre ayudaba a mi hermano mayor con los deberes y luego empezaba de nuevo con Izzy. Al cabo de cinco años, la familia Franco se mudó y nunca más volvimos a verlos o a tener noticias suyas. No recordaba muchas cosas de Izzy, aparte de que le apasionaba construir maquetas de barcos complicadísimas. Era tremendamente hábil con las manos y podía trabajar en esos barcos durante horas, colocando perfectamente cada pequeña pieza en su lugar.

Pasaron treinta años. Donna y yo nos casamos y tuvimos tres hijos. Hace poco, nos dijeron que nuestro hijo mayor tenía que someterse a una intervención quirúrgica. Naturalmente, estábamos preocupados, a pesar de que se suponía que la operación era bastante rutinaria. Hablando con mi mujer, el pediatra de la familia nos recomendó a un cirujano pediátrico del Westchester Medical Center, que se llamaba Israel Franco. Mi mujer llamó al médico y pidió cita para verlo y hablar de la afección de nuestro hijo. Cuando llegaron, mi mujer se presentó y le presentó a nuestro hijo al médico, que contestó que había conocido a una familia que se llamaba Kash.

—Me crié con una familia que tenía tres hijos: Peter, Eric y Douglas —dijo el médico—. Sin embargo, creo que el apellido se escribía con C.

Atónita, Donna dijo:

—No, se escribe con K, y Peter es mi marido.

De repente, se dibujó una gran sonrisa en la cara del doctor Franco.

—Soy médico gracias a la señora Kash. Me ayudó con mi inglés y gracias a ella superé los primeros años de colegio en América.

Ese hombre, que de niño estudiaba en nuestra mesa de comedor con mi madre, era ahora el cirujano que iba a operar a nuestro hijo. Todo salió bien y la recuperación de mi hijo fue estupenda y rápida. Evidentemente, mi gratitud era tal que se me saltaron las lágrimas de emoción. Pero nunca olvidaré la expresión de Izzy cuando salió del quirófano, tomó mis manos entre las suyas y dijo:

—Tu hijo está bien. Todo ha salido bien.

Fue como si hubiéramos completado el círculo, cumpliendo una importante deuda de gratitud mutua.

Mi experiencia me lleva a evocar esa anécdota, mucho más famosa, en la que un granjero escocés, llamado Fleming, salvó la vida del joven Winston Churchill, que, siendo sólo un niño, quedó atrapado en una ciénaga y estuvo a punto de ahogarse. Cuando el padre de Churchill supo lo que le había ocurrido a su hijo, fue a ver al granjero y le ofreció una recompensa. Éste la rechazó, pero, justo en ese momento, el

hijo de Fleming salió corriendo de la casa. Churchill padre
vio al chico y se ofreció a darle una buena educación. El
agricultor lo pensó unos segundos y aceptó. El chico terminó
estudiando en la escuela de medicina del Hospital St. Mary,
en Londres, y le fue concedido el título de sir, sir Alexander
Fleming, descubridor de la penicilina. Por supuesto, al joven
Churchill también le fue bien en la vida, convirtiéndose en
uno de los grandes Primeros Ministros de Inglaterra. Curiosamente, sus caminos volverían a cruzarse de nuevo. En un
momento de su importante carrera, Churchill sufrió una grave neumonía; su vida se salvó gracias a la penicilina.

Como ilustraré en los siguientes capítulos, la vida nos
recuerda constantemente que el bien que hacemos —o el
mal, exactamente igual— vuelve a nosotros de algún modo
una y otra vez. Como dice el aforismo bíblico, planta buenas
semillas y serás recompensado. Básicamente, significa que
hay que tratar a las personas de manera que se reconozca su
dignidad y bondad inherente y promocionar sus vidas siempre que sea posible. Dicho de otro modo, haz muchos amigos
a lo largo del camino. Parece algo muy básico, pero, lamentablemente, demasiadas personas consideran que este enfoque es la antítesis del mundo competitivo en el que vivimos.
Como demostraré, los hombres de negocios que mantienen
esta ética son normalmente los que llegan más lejos en sus
carreras, y los que duermen a pierna suelta por la noche.

7. Un guiño de las redes de la vida

Muy a menudo, pequeños acontecimientos o extrañas coincidencias que no cambian nuestras vidas, pero que nos di-
vierten o asombran, nos recuerdan la interconectividad de la
vida. Es como si las redes de la vida nos hicieran un guiño,

recordándonos su presencia subyacente, pero sin inmiscuirse demasiado en el curso normal de las cosas. Muy a menudo estamos más cerca de nuestros sueños más ambiciosos, y de nuestras pequeñas fantasías, de lo que pudiera sugerir la famosa teoría según la cual todos estamos conectados al cabo de seis vínculos consecutivos.

Siendo adolescente estaba loco por la actriz Brooke Shields. Recuerdo haberle dicho a mi novia de entonces que si alguna vez tuviera la ocasión de salir con Brooke Shields, no dejaría pasar la oportunidad.

—No te preocupes —me dijo mi novia—, nunca conocerás a Brooke Shields.

En 1991, un amigo y socio japonés me preguntó si podía organizar que Brooke Shields hiciera una sesión de fotos con Hiromi Go, el equivalente japonés de nuestro Billy Joel.

—¿Por qué no? —le dije.

Desde mi despacho, le grité a nuestra asistente ejecutiva, Donna Lozito:

—¿Cómo puedo encontrar a Brooke Shields?

Donna sonrió, se levantó de su mesa y entró en mi despacho.

—Yo era la canguro de Brooke cuando era pequeña —dijo.

Era cuanta ayuda necesitaba. Un mes después, Brooke y su madre, que colabora como manager en la carrera de su hija, aceptaron hacer la sesión en el hotel Plaza de Nueva York. Antes de la sesión, recogí a Brooke en su casa. Me recibió en la puerta con un beso en la mejilla, y por la noche, después de la sesión de fotos, la llevé a cenar. Lo sorprendente de Brooke Shields es que durante la cena la interrumpieron por lo menos doce personas para pedirle un autógrafo. Tenía una sonrisa y un comentario amable para cada una de ellas.

Después de mi «cita» con Brooke Shields, llamé a mi antigua novia, con la que todavía mantengo la amistad, y le conté la maravillosa velada que había pasado con mi fantasía de tantos años.

—Esas cosas sólo te pasan a ti, Peter —fue su respuesta.

Y en eso estaba equivocada.

8. Hacer que las redes funcionen

Cuando conectas con las personas de manera positiva, surgen magníficas oportunidades. Muy a menudo, las coincidencias son oportunidades que llaman a nuestra puerta. Para aprovechar al máximo esas oportunidades de oro, primero tenemos que comprender que los acontecimientos aparentemente triviales o incluso insignificantes pueden esconder algo bueno, al menos de manera superficial.

Nuestro sistema de valores nos ayuda a aprovechar al máximo nuestras oportunidades. Son el ying y el yang de las redes de la vida, podríamos decir. Juntos, ambos aseguran que el éxito y el enriquecimiento personal se conjuguen para hacernos más humanos. En el siguiente capítulo demostraré cómo las oportunidades y los valores están íntimamente entrelazados, y cómo el éxito depende de ambos.

El secreto del éxito
y la realización

Primero pregúntate: ¿qué es lo peor que puede ocurrir?
Después prepárate para aceptarlo. A continuación actúa para
mejorar lo peor.

DALE CARNEGIE

Uno de los axiomas que transmito a mis estudiantes es el siguiente: hay una cosa, más que ninguna otra, que determinará cómo será tu vida. Y no es ni el dinero ni la fama. Todos los días hay personas ricas y famosas que acaban su vida arruinadas en condiciones miserables. Lo que determinará si serás querido, respetado, tendrás éxito y te sentirás realizado serán tus valores; no los valores que crees que tienes, o los que te gustaría tener, sino aquellos que demuestras cada día.

Uno de los principales espacios donde tsus valores se pondrán de manifiesto será en los negocios. Al contrario de lo que se difunde en los medios de comunicación y de lo que actualmente se enseña en las universidades, los negocios se llevan a cabo de manera cooperativa y se realizan mejor en un ambiente de confianza. Los comportamientos que fomentan la desconfianza sólo sirven para contaminar la atmósfera e impedir que se generen condiciones de trabajo óptimas. Son la causa de que las empresas pierdan oportunidades y dinero; por consiguiente, a menudo, son la causa de que se despida a determinadas personas o de que las empresas acaben en los Tribunales. Ahora bien, es muy difícil para las personas, en todos los niveles de sus carreras —especialmente para aquellas que están empezando— darse cuenta de que las características necesarias para fomentar la confianza también constituyen los cimientos de una carrera de éxito y de una vida plena.

He trabajado y he conocido a personas de prácticamente todos los niveles de la escala social, y he tenido la oportunidad de estudiar las características que conducen al éxito y a la realización personal. Muchas de las personas con las que trabajo cuentan con ingresos muy altos, algunos de ellos incluso aparecen en la lista anual de *Forbes* de las mayores fortunas de América. También he trabajado con personas a las que no se puede considerar ricas desde el punto de vista económico, pero que se sienten realizadas en su trabajo y afortunadas en muchos otros aspectos de su vida. Las personas que se sienten personalmente realizadas, incluso felices, independientemente de su estatus, han alcanzado dicho éxito porque mantienen determinados valores humanos sencillos —honestidad, integridad, valentía y franqueza— que constituyen los cimientos de una vida gratificante y con éxito. No significa que no hayan cometido errores o que no hayan fracasado. Por el contrario, las personas que he conocido que se sienten más realizadas han cometido muchos errores y han fracasado en múltiples ocasiones. Sin embargo, a pesar de estos contratiempos, han seguido esforzándose para alcanzar sus objetivos y aquello en lo que creían.

Es interesante observar que la auténtica realización —es decir, una profunda satisfacción con lo que uno es y con lo que uno ha llegado a ser— sólo se alcanza si desarrollas tu humanidad a medida que persigues tus objetivos. En efecto, las grandes fortunas están a menudo en manos de personas que son arrogantes, egoístas e incluso mezquinas. Pero mi experiencia me ha demostrado que estas personas también son miserables. Es como si hubieran alcanzado uno de sus objetivos, la riqueza, a costa de violar toda una serie de principios humanos y, al hacerlo, se hubieran convertido en personas crispadas, desgraciadas y profundamente infelices.

Hay una razón muy sencilla que explica esta verdad fundamental de la vida, y es la siguiente: de todo lo que se puede decir en relación con los valores, algo fundamental es que los valores que llevan a una vida con éxito forman parte de las fibras de tu propio ser.

Son tan naturales como nuestro propio corazón. El problema es que la mayoría de nosotros no lo sabemos. A través de la experiencia, el coraje y el esfuerzo, llegamos a conocer estos valores. Llegados a este punto, lo que tenemos que hacer es vivir con ellos. Si te pasas la vida violando estos principios, terminarás juzgándote muy duramente, e incluso rebajándote ante tus propios ojos. Me atrevería a decir que puedes incluso terminar odiándote a ti mismo. La razón de ello es que, a fin de cuentas, cada uno de nosotros somos nuestro peor y más duro juez. Nos juzgamos evaluando nuestras vidas en función de los valores que ya tenemos dentro de nosotros.

Permítanme narrarles la historia que me contó recientemente un amigo mío para ilustrar este punto.

Un día, durante un viaje, mi amigo estaba mirando por la ventana de la habitación de su hotel —situada en el segundo piso— y vio a dos chavales, de unos ocho o nueve años, andando por la calle justo enfrente del hotel, disfrutando aparentemente de un día soleado. De repente uno de los chicos adelantó su pierna derecha por delante de las piernas de su amigo y se dio la vuelta de manera que su pierna atrapó las piernas del otro chaval haciendo que éste cayera al suelo de bruces. A pesar de que las ventanas de su hotel estaban cerradas, mi amigo afirmó que pudo sentir el impacto de la cara del chico contra la acera. El chico, que empezó inmediatamente a sangrar por la nariz y tenía la mejilla derecha magullada, se revolcaba en la acera gritando de dolor.

El chaval que le había tirado miró alrededor suyo para ver si alguien había visto lo ocurrido. Satisfecho porque no había moros en la costa, intentó ayudar a su amigo a levantarse, pero el chico que había caído se negó a ello y siguió gritando. Enseguida apareció una pareja de adultos, uno de ellos puso un pañuelo en la nariz del chico y le hizo inclinar la cabeza hacia arriba para detener la hemorragia. El otro le ayudó a levantarse.

Mientras esto ocurría, un tercer chaval apareció en escena. Observó lo que estaba ocurriendo sin mucho interés y empezó a hablar con el responsable de la caída. Unos minutos después, los dos se marcharon. Mientras se alejaban, el causante de lo ocurrido empezó a explicarle al que acababa de llegar cómo su amigo había tropezado con ambos pies. A cámara lenta, el culpable reprodujo una y otra vez la escena de cómo su amigo había tropezado, y cómo ese inocente error había hecho que cayera al suelo. Mientras demostraba a su amigo cómo había ocurrido «el accidente», gesticulaba mostrando cómo el otro había dado con la cara en el suelo y había empezado a sangrar por la nariz.

Evidentemente, estaba creando una historia alternativa respecto a lo que realmente había ocurrido, señaló mi amigo. El chico estaba esforzándose por convencerse a sí mismo de que era inocente, aunque su compañero parecía absolutamente indiferente a la explicación de lo que había ocurrido. Aun así, a pesar de la apatía de su compañero, el culpable seguía explicando el asunto con grandes gestos y, aparentemente, hasta el menor de los detalles, demostrando varias veces cómo su amigo había tropezado y caído. Era casi como si su explicación fuera un deseo de que los acontecimientos hubieran ocurrido como él decía.

«No sólo hizo daño al chaval —me decía mi amigo—, sino que además siguió andando por la calle mintiendo al otro sobre lo que había pasado. ¿Puedes creerlo?»

Sí, pensé. No sólo lo creo, sino que sé cómo se sentía el joven culpable. La razón por la que el joven negaba activamente la verdad, pensé, era porque le costaba aceptar sus propias acciones.

La cuestión es: ¿por qué nos cuesta tanto aceptar nuestras acciones cuando sabemos que hacen daño a otros?, ¿por qué nos sentimos inclinados a mentir sobre las cosas que hacemos mal?

Pensé en este rompecabezas el resto del día y durante muchos días después. Incluso como adulto, he cometido errores que luego me ha costado aceptar. Siempre que he sido brusco con alguien, o que he ofrecido información que no era realmente cierta, he sufrido remordimientos que muchas veces me han llevado a volver y disculparme o explicar las cosas de manera más completa.

He hablado con otras personas sobre este tipo de experiencias y he escuchado historias de luchas internas similares. Después de pensarlo mucho, ahora estoy convencido de que hay una ética básica fundamental en la naturaleza humana. Puede que incluso forme parte de nuestro ADN. Después de millones de años de evolución —lo que equivale a decir millones de años de vivir juntos en pequeñas comunidades— algo muy dentro de nosotros nos exige que actuemos de una manera ética hacia los demás. No es únicamente nuestra educación social moderna la que nos enseña a no mentir, no robar o no matar; está en nuestra naturaleza no comportarnos así. Siempre que nuestro comportamiento se encuentra en armonía con estos valores, experimentamos una satisfacción psicológica que sólo puede describirse como una especie de elevación espiritual. Permítanme darles un ejemplo.

Siendo adolescente, trabajaba como monitor en el hotel Raleigh, en la localidad de Catskills. Uno de los encargados del hotel era un hombre de unos cincuenta años que se llamaba Mace Teicher. Firme y encantador, Mace irradiaba ética y personalidad. Los niños le llamaban «tío Mace». Un invierno conseguí para mi amigo Gary Stan un trabajo como monitor en el hotel. La noche antes de incorporarse a su puesto de trabajo en el hotel, Gary conducía por su ciudad, Bellmore, en el Long Island, cuando su coche patinó sobre el hielo de la calzada, se estampó contra un Cadillac que estaba aparcado y le abolló el guardabarros. Era cerca de medianoche cuando se produjo el accidente y la calle estaba muy oscura. Gary salió de su coche y fue a la casa frente a la que estaba aparcado el Cadillac. Llamó a la puerta y un hombre abrió. Gary le preguntó si era el propietario del Cadillac.

—Sí —respondió el hombre.

—Lo siento mucho —dijo Gary—, pero acabo de chocar contra su coche. Éste es mi carné de conducir y los datos del seguro del coche.

El hombre se mostró sorprendido, especialmente porque no había escuchado nada. Miró detenidamente a Gary, apuntó la información, y le dio las gracias por su honestidad.

Al día siguiente, Gary llegó al hotel Raleigh y me contó el incidente de pasada. Después, por la tarde, llevamos a los chicos de nuestro grupo al comedor, donde inesperadamente nos encontramos con Mace Teicher. Gary no conocía a Mace, así que le dije:

—Ven, quiero presentarte a Mace.

Cuando les estaba presentando, Gary y Mace se sonrieron como si ya se conocieran. Gary se giró hacia mí y dijo:

—Éste es el hombre contra cuyo coche choqué anoche.

La sonrisa de Mace se hizo todavía más grande y lo mismo ocurrió con Gary. Noté que los dos se miraban con respeto mutuo y afecto. Algo fundamentalmente bueno y humano los había conectado y ellos lo sabían.

—Así que éste es el tipo de personas que quieres que contratemos, ¿eh, Kash?

Con esto, Mace nos dio unas palmadas en la espalda y se marchó.

No hubo ninguna otra gratificación por ese incidente, y no era necesario. Sentí el resplandor de ese encuentro y recordé lo que Platón dice en *La República*: la gratificación radica en hacer el bien. Hay momentos en tu vida en los que nada puede equipararse a la sensación de haber hecho algo honesto y bueno, y por ninguna otra razón salvo que es lo correcto.

Esto debe haber sido seguramente lo que Esther Kim, una deportista de veinte años del equipo de taekwondo, experimentó cuando cedió su lugar en el equipo olímpico de Estados Unidos a su íntima amiga y competidora, Kay Poe. En los juegos de verano de 2000, el equipo de taekwondo tenía posibilidades de ganar una medalla. Kim y Poe se conocían desde hacía trece años y, como dijo Kim, las dos eran como hermanas. Ambas competían por un puesto en el equipo y ambas habían llegado a la ronda final del torneo de eliminación en el que se decidiría quién iría a Sídney, Australia, para participar en los juegos de 2000. Poe había ganado a Kim la última vez que habían competido y era la favorita para la medalla de oro en los juegos olímpicos. Pero en un combate anterior, Poe se había dislocado la rodilla y tenía que enfrentarse a Kim apoyándose en una sola pierna. En tales condiciones, lo más probable era que Kim hubiera ganado y hubiera ido a Sídney para representar a Estados Unidos. En lugar de ello, Kim decidió renunciar a favor de Poe y ceder su puesto en el equipo a su mejor amiga. Antes del combate, ambas hablaron sobre las condiciones injustas a las que se enfrentaban.

—Tenemos que luchar —dijo Poe—. Lo haré lo mejor que pueda.

Kim contestó:

—Ni siquiera puedes mantenerte de pie. ¿Cómo vas a luchar?

Cuando Kim le dijo a Poe que tenía la intención de renunciar al combate, Poe insistió en que no estaría bien, pero Kim ya había tomado una decisión. «No significa renunciar a mi sueño, se lo he cedido a Kay», dijo Kim al *New York Times* el 25 de mayo de 2000. «No podría vivir conmigo misma sabiendo que he derrotado a alguien que ya estaba derrotada de antemano.»

Cuando llegaron al combate, las dos estaban llorando; Kim se retiró y Poe fue proclamada vencedora.

«Sentí que era lo que tenía que hacer —dijo después Kim—. Me dolió, pero ganar una medalla de oro no lo es todo. Hay otras formas de ser campeona. Aunque no lleve una medalla de oro colgando del cuello, sí que la llevo en mi corazón.»

De algún modo sabemos que Esther Kim es una campeona y que se sentirá bien, con medalla o sin ella. Su acción atrajo sobre ella la atención mundial, y se lo merecía. Además de que escribieran sobre ella en *The New York Times*, también apareció en revistas importantes. La razón por la que acaparó tanta atención es porque su acción nos hace conscientes de que hay un objetivo más elevado que ganar: hacer lo correcto es más importante que ganar. El acto de heroísmo de Esther Kim resuena dentro de nosotros. Toca la fibra de nuestros propios valores inherentes y nos recuerda que algo dentro de nosotros lucha por hacer el bien.

1. Si rompes tus principios, reconócelo

Es tan natural romper nuestros valores como tenerlos, lo que explica por qué tantas personas hacen daño a los demás y luego tienen problemas. También es verdad que después de cometer esos errores, la gran mayoría de nosotros sufrimos algún tipo de falta de armonía interna, que puede manifestarse como dolor emocional o psicológico. Dependiendo de la magnitud del error ético, ese dolor puede abocarnos a una crisis.

Sin embargo, lo peor que podemos hacer cuando cometemos tales errores es negarlo o huir de ello. Huir del dolor desencadena una serie de problemas, no siendo el menor de ellos experimentar todavía más dolor.

Recuerdo una reunión, hace varios años, en mi despacho con un inversor potencial de Nueva Jersey. Estaba considerando la posibilidad de invertir en una nueva compañía que yo estaba contribuyendo a lanzar. Durante nuestra reunión, acepté que me pasaran cinco o seis llamadas de teléfono. Cuando la reunión finalizó, nos despedimos cordialmente pero, después, el hecho de haber aceptado que me pasaran esas llamadas pesó mucho en mi conciencia. Había demostrado mala educación hacia ese hombre y ambos lo sabíamos. A él no le gustó lo que yo había hecho, y cuanto más pensaba en ello, tampoco yo me sentía satisfecho. Obvia decir que nunca invirtió conmigo.

Tres años después, me invitaron a Brasil para reunirme con un grupo de inversores. Era la primera vez que viajaba a Brasil y le pedí a mi secretaria que se enterara de si necesitaba algún tipo de visado para entrar. Me dijo que no era necesario, pero cuando llegué, los agentes de aduana brasileños me impidieron la entrada por no tener visado y me deportaron inmediatamente a Buenos Aires, Argentina, donde me quedé en un hotel e intenté obtener, en el consulado de Estados Unidos en esa ciudad, un visado para entrar en Brasil. En Buenos Aires salí a cenar y, por decisión de la red de la vida, me encontré con el inversor potencial de Nueva Jersey con el que me había reunido en mi despacho tres años antes, que estaba en el restaurante con su mujer y otra pareja. Estaban a punto de salir del local. Sorprendido por encontrármelo tan lejos de casa, cuando ya salían del restaurante, me acerqué para saludarlo. Me miró y dijo: «No me lo puedo creer». Se dio la vuelta y se marchó. Inmediatamente supe cuál era la razón de su desaire.

Naturalmente, me sentí muy violento y dolido. Lo más fácil habría sido que la mala educación de esa persona, que en aquel momento me parecía que superaba a la mía, no me hubiera preocupado. Pero de ser así, no habría aprendido la importante lección que ese hombre me estaba dando por segunda vez —una vez en Nueva York y ahora de nuevo en Buenos Aires—: trata siempre a la gente con respeto. Le había tratado mal y ahora él hacía lo mismo conmigo. Lo que hice era éticamente reprochable e incorrecto en el mundo de los negocios. Lo cierto es que ambas cosas suelen ir de la mano.

Y sin embargo, si alguien me hubiera preguntado antes de conocer a ese hombre de negocios de Nueva Jersey si el respeto hacia los demás era un valor ético importante para mí, habría contestado: «Por supuesto. Simplemente metí la pata». Pero no había interiorizado ese valor ético tan profundamente como pensé. Apuesto cualquier cosa a que el chico que le puso la zancadilla a su amigo también podía haberse comportado de otra manera, lo que no impidió que hiciera lo que hizo. A veces hay que aprender a golpes, cometiendo errores. En ocasiones hay que dar cinco pasos atrás para poder avanzar veinte.

Mi experiencia con el inversor de Nueva Jersey hizo que me diera cuenta de que, como la mayoría de las personas, tengo un código ético implícito en mí que debo aceptar y con el que debo vivir si quiero ser la persona que me propongo ser en la vida. Mi desafío, en cierto sentido, es *recordar* mi propio código interno y actuar en consonancia con él. Y creo que es lo que les ocurre a la mayoría de las personas. No sólo tenemos un código ético implícito dentro de nosotros, sino que dicho código es muy similar para la mayoría de nosotros.

En efecto, existe una minoría que, bien por una mutación genética o por fallos en su educación, no disponen de un código interno. Tienen que vivir con ello y con sus consecuencias. Afortunadamente, esas personas son una minoría muy pequeña en el esquema global de las cosas. El mundo se mantiene unido y sigue adelante gracias al resto de nosotros que luchamos con nuestras éticas y valores y que reconocemos que esa lucha implica cometer errores, padecer el dolor de la autocrítica y aprender de las equivocaciones. Creo que las personas comprometidas, en diversos grados, en alguna versión de este proceso representan la mayoría de los habitantes de este planeta. Dicho de otro modo, la mayoría de las personas son inherentemente buenas y, lo que es más importante, se esfuerzan por actuar de manera correcta.

Mi convencimiento de que el mundo está constituido por personas esencialmente buenas se basa en mi experiencia en los negocios y en la vida. He trabajado y he hecho negocios en más de cincuenta países en los seis continentes y puedo decirles que, con independencia de la nacionalidad, la religión o los antecedentes étnicos de las personas que he conocido, la inmensa mayoría han sido buenas personas que querían creer que yo era una persona de firmes valores, como ellos mismos. Ser consciente de esto es una de las razones por las que contesto a la famosa pregunta de Einstein —¿es el universo un lugar acogedor?— de manera afirmativa.

Es interesante comprobar que algunas personas muy sensatas no contestan a la pregunta de Einstein con un sí o con un no, sino que tienden a pensar que el universo es lo que tú haces de él. Dicho de otro modo, cada uno de nosotros crea el carácter de nuestro propio mundo. El hombre que me enseñó esto era una de las personas más nobles que he conocido nunca.

2. Cómo hacer que el universo te resulte acogedor

Hago muchos negocios en Asia, por lo que he tenido la suerte de pasar mucho tiempo en ese continente y he llegado a conocer a algunos de sus principales líderes en el mundo de los negocios. En Asia, muchas personas creen que el hecho de que el universo sea un lugar acogedor o no lo sea no es algo arbitrario. Por el contrario, la naturaleza del universo depende de tu comportamiento. Las personas sensatas intentan hacer que el universo sea un lugar acogedor cultivando un buen karma. Un día estaba paseando por la Séptima Avenida de Nueva York con mi amigo y socio Tamio Nishizawa, presidente de Yamaichi Univen America, la división de capital riesgo de Yamaichi Bank, que en aquel momento era el cuarto banco más importante del mundo. A pesar de su éxito, Nishizawa era un hombre de una gran humildad que, paradójicamente, irradiaba de su ser en forma de inmensa dignidad. Mientras caminábamos por la Séptima Avenida, nos cruzamos con más de una docena de hombres y mujeres que estaban delante de restaurantes y tiendas repartiendo menús y publicidad de sus negocios. La mayoría de los transeúntes simplemente los ignoraban, pero el señor Nishizawa aceptó cada uno de los menús y anuncios que le ofrecían. Finalmente, cuando tenía las manos llenas de papeles, le miré y le pregunté:

—Nishizawa, ¿por qué acepta todos los menús y anuncios que reparten estas personas? ¿Tiene intención de ir a sus restaurantes o tiendas?

—Si puedo prestarles mi apoyo para que hagan su trabajo, tal vez esas personas me apoyarán en el mío —fue su respuesta.

Con estas palabras me presentó una instantánea de la red de la vida. Un gran tejido que nos devuelve exactamente lo que nosotros ofrecemos. En ese momento mi amigo me estaba dando una lección. Me estaba enseñando algo básico y profundo sobre cómo deberíamos tratar a las personas en cualquier ámbito de la vida.

Karma es esencialmente la filosofía de la causa y el efecto. Cada una de tus acciones es una causa que genera un efecto. Las buenas causas producen buenos efectos. Las buenas semillas engendran buen fruto. Lo que el señor Nishizawa estaba diciendo, esencialmente, es que el universo es bueno para aquellos que trabajan por buenas causas.

Karma es simplemente otra forma de decir «todo lo que va vuelve» o, de una manera más sencilla, la red de la vida. A veces la red responde rápidamente a las buenas semillas que hemos plantado, y a veces es más lenta; pero a la larga responde, especialmente si hemos mantenido nuestro coraje, perseverancia y buenas acciones. No estoy diciendo, en absoluto, que a las buenas personas no les ocurren cosas malas. De hecho, a todos nos suceden cosas malas —buenas y malas—, pero a aquellos que hacen el bien continuamente les ocurren muchas más cosas buenas que a las personas que actúan mal hacia los demás. Sin duda alguna, todos somos conscientes de ello en el fondo de nuestro corazón.

No había visto al señor Nishizawa desde hacía más de diez años. Quería agradecerle todo lo que había hecho por mí y regalarle un ejemplar de mi libro, pero no tenía la menor idea de cómo ponerme en contacto con él. Yamaichi ya no existía y él se había jubilado. De todas formas, no sé muy bien por qué, en mi siguiente viaje a Japón me llevé un ejemplar del libro por si encontraba a algún colega suyo. Al llegar al aeropuerto Narita tomé el autobús hasta Tokio, donde iba a dar clases en la Universidad Nihon durante dos semanas. Cuando bajé del autobús ahí estaba él. El señor Nishizawa estaba en la entrada del hotel hablando con otro caballero. Le llamé y nos pareció increíble habernos encontrado. Esa noche me invitó a cenar y hablamos del pasado y del futuro. Le emocionó que recordara la lección que me había dado y que yo compartía ahora con el mundo.

Sabemos que la honestidad, el coraje, la integridad y la franqueza son los cimientos de la personalidad, el honor y el orden en el mundo. No es necesario que nos lo digan. En mi opinión, lo que necesitamos es que nos animen a hacer que estas virtudes formen parte de nuestra vida. Y eso sólo es posible mediante el esfuerzo continuo y la voluntad de aprender de nuestros errores. Si los valores que he mencionado constituyen los cimientos del éxito, los principios que voy a enumerar a continuación conforman los muros, las habitaciones y el tejado del gran edificio que puedes construir para tu carrera y tu vida. He aquí, en mi opinión, algunos de los secretos del éxito.

3. Mantén tu integridad y entiende su significado

La mayoría de nosotros creemos que ser íntegro significa hacer las cosas que dices que vas a hacer. Eso es correcto, hasta cierto punto. Desgraciadamente, como ocurre a menudo, esa definición puede conducir a las buenas personas a sufrir tremendamente e incluso a perder su integridad, por la siguiente razón: a menudo decimos sí a cosas equivocadas, o decimos sí cuando en realidad queremos decir no. Entonces, nuestra integridad se ve comprometida y nos mostramos débiles o ineficaces e indignos de confianza. Y a nadie le gusta que lo consideren así.

Por tanto, en lugar de seguir adelante viendo hasta qué punto la integridad es importante, quiero abordar una cuestión más profunda que, de hecho, determina si eres íntegro o no, y que es la siguiente: debes comprender a qué te estás comprometiendo antes de hacerlo y comprender por qué estás adquiriendo tal compromiso. Ser íntegro no debería resultar tan difícil, si te comprendes a ti mismo y afrontas de manera realista los desafíos a los que te comprometes.

Lo primero que tenemos que comprender en relación con la integridad es que se trata esencialmente de una virtud egocéntrica. Por egocéntrica, quiero decir que uno habla y actúa desde lo más profundo de su propio ser. Con demasiada frecuencia, las personas se comprometen a hacer algo simplemente porque creen que es lo que los demás quieren que hagan. En cierto sentido, decimos que haremos algo para hacer feliz a otra persona. A veces creemos que haciendo feliz a otra persona nos hacemos felices a nosotros mismos. Lamentablemente, ese modo de pensar puede volverse a menudo en contra nuestra.

Cuántos de nosotros hemos aceptado un trabajo o un proyecto para un cliente, sabiendo perfectamente que no estábamos comprometidos con dicha tarea o proyecto. De hecho, sabíamos que realmente no queríamos hacer lo que se nos pedía. Esto nos ha ocurrido a todos. En algún momento, todos nos hemos visto en tal situación. Vale, de acuerdo. Pero si te ocurre una y otra vez, has elegido la profesión equivocada. O lo que es peor, no estás actuando de manera íntegra contigo mismo. No puedes, en modo alguno, tener éxito en esa profesión, porque de manera natural te resistirás a asumir un compromiso pleno con el trabajo.

Si tienes suerte, te despedirán o te cesarán. Pero si por algún motivo consigues mantenerte en ese puesto durante mucho tiempo, perderás algo más importante que tu trabajo, perderás todo contacto con tu alma. Progresivamente, te encontrarás huyendo del trabajo, y después de la propia vida, hasta que renuncies a tus sueños y te conviertas en la persona que he descrito antes: el hombre o la mujer que muere de cinismo.

Antes de comprometerte con una misión importante, pregúntate si puedes o no hacer lo que te están pidiendo. Es posible que no puedas. Tal vez no tengas tiempo; tal vez tengas otros compromisos; tal vez tu experiencia corresponda a otro ámbito. En la mayoría de los casos, no hay absolutamente nada malo en decir simplemente que no eres capaz de hacerlo.

Sin embargo, ser *capaz* de hacer algo es sólo el primer paso. En segundo lugar, pregúntate si realmente *quieres* hacerlo. ¿Lo *deseas?* ¿Puedes comprometerte plenamente con esa tarea, o de manera natural te distanciarás, en parte porque en el fondo no quieres hacerlo? Pregúntate también cuál es tu motivación. ¿En qué te beneficia? ¿Merece la pena alcanzar ese objetivo? ¿Merece la pena el esfuerzo que tendrás que hacer para alcanzar ese objetivo? El objetivo puede ser tan excitante que sientas que el esfuerzo que tendrás que hacer merece la pena. Por último, pregúntate si lo estás haciendo desde el fondo de tu corazón o si lo estás haciendo porque quieres hacer feliz a alguien en detrimento tuyo.

Muy a menudo, especialmente al principio de sus carreras, las personas cometen el error de decir a la gente lo que ésta quiere oír. Lo hacen sin buscar en sí mismos lo que realmente sienten en relación con un desafío o una tarea en particular.

«¿Y qué otra cosa puedo hacer?», se preguntan muchas personas al llegar a este punto. «Tengo que hacer lo que mi jefe me pida.»

La verdad es que todo el mundo puede elegir. Puedes entregarte plenamente al desafío al que te enfrentas o puedes tomar distancia y hacer el mínimo esfuerzo. Las personas que optan por lo segundo están diciéndose a sí mismas y a su jefe, tácitamente y tal vez de manera subconsciente, que no quieren hacer el trabajo que les han encargado y, de hecho, se niegan a entregarse en cuerpo y alma a esa tarea. Se trata de una actitud peligrosa, por dos razones. En primer lugar, puede llevar a que te despidan. En segundo lugar, y eso es todavía más peligroso, puede convertirse en un hábito del que no conseguirás deshacerte nunca, lo que puede resultar desastroso no sólo para tu carrera —nunca llegarás muy lejos si sólo haces lo mínimo—, sino también para tu vida.

Trabajar duro me ha enseñado que la mayoría de los desafíos que llevan a un beneficio o un objetivo que merece la pena son en realidad más difíciles de superar de lo que parece al principio. Una vez que asumes un reto, te encontrarás con dificultades, pruebas y luchas inesperadas que no habías previsto nunca. Forman parte del paquete. Hay muy pocas cosas que merece la pena conseguir que sean fáciles, lo que significa que tu compromiso correrá peligro. Si al principio sólo asumes el compromiso a medias, tendrás más de un 50 por 100 de posibilidades de fracasar. Por tanto, cuanto más te comprometas con cosas que no quieres hacer, más fracasarás en la vida. Es así de sencillo.

4. En segundo lugar, cree en lo que haces

Una de las cosas que algunas personas creen cuando empiezan su carrera en el mundo de los negocios es que trabajan sólo por dinero. En realidad, la mayoría de nosotros necesitamos creer en lo que hacemos para poder hacerlo bien. Hay algo en la esencia del ser humano que hace que busquemos un significado en nuestras vidas y nuestro trabajo. No importa a qué te dediques, ya sea fabricar zapatos o raquetas de tenis —el mundo necesita ambas cosas—, pero es imperativo que reconozcas el valor de tu trabajo y su contribución a la sociedad. Durante un tiempo, especialmente al principio de nuestras carreras, podemos negar la importancia de esta creencia. Podemos incluso trabajar para personas o en un sector que tenga un impacto negativo en la sociedad o en el mundo. Pero a la larga puede llegar a afectarnos, y cuando eso ocurre destruye nuestras vidas.

Creer en tu trabajo, ser consciente de que estás contribuyendo de algún modo al mundo, te permite volcarte plenamente en tu carrera. Cuando lo haces, la red de la vida te brindará oportunidades en los lugares más insospechados.

Hace unos años estaba en la sala de partos del hospital con mi bellísima mujer, Donna, que estaba a punto de dar a luz. El parto estaba siendo lento. Durante las dieciséis horas que duró, el médico de Donna y yo estuvimos hablando, entre otras cosas, del futuro de la medicina, especialmente en relación con su especialidad, la obstetricia. Daba la casualidad de que yo estaba buscando inversores para una compañía cuya tecnología revolucionaría la ciencia pediátrica. Cuanto más hablaba sobre esa tecnología, más interesado se mostraba el médico. En un momento determinado estábamos tan enfrascados en nuestra conversación que Donna empezó a preguntarse si el médico estaba haciéndome más caso a mí que a ella.

Evidentemente, estaba más pendiente de ella, pero Donna estaba sufriendo y necesitaba toda la atención que el médico pudiera prestarle. Finalmente, Donna dio a luz a Colby, un bebé precioso y muy despierto. Y tres semanas después yo tenía un nuevo amigo y un nuevo inversor. Hasta el día de hoy, mi mujer me reprocha que mientras ella pedía a gritos la epidural, yo estaba distrayendo a su médico explicándole los beneficios de una nueva y apasionante tecnología. Todavía no me lo ha perdonado.

5. No yo, sino nosotros

Uno de los principios que cultivan los japoneses es el reconocimiento de que el éxito se consigue mediante la cooperación y el esfuerzo conjunto y no con el trabajo individual. El símbolo japonés que representa a las personas tiene la forma de un tipi, una tienda india, en la que dos líneas convergen en el vértice. Si eliminas una de las líneas, la otra línea cae. La imagen simboliza nuestra interdependencia mutua para la supervivencia y el éxito. Y esto es especialmente cierto en el mundo de los negocios. Los negocios funcionan mejor —es decir, es más fácil alcanzar el éxito y la realización personal— si mantenemos determinados valores que se apoyan mutuamente.

El mismo principio rige también en muchas compañías de éxito en Estados Unidos. En Microsoft, por ejemplo, hay más de 30.000 millonarios, incluyendo a muchas secretarias. La razón de ello es que Microsoft ofrece acciones a sus empleados, y quienes compraron acciones en los primeros años de la compañía son ahora más ricos de lo que nunca llegaron a soñar.

El mismo fenómeno se produjo en Home Depot, donde los trabajadores que compraron acciones también se hicieron ricos. De hecho, muchos de los trabajadores de planta y conductores de Home Depot que luego se enriquecieron siguieron en sus puestos de trabajo.

He implantado la misma política en mi empresa. Todas las personas que trabajan conmigo tienen acciones en cada una de las operaciones que realizo, por la sencilla razón de que puedo hacer muy poco sin la ayuda de quienes me rodean. Por tanto, la gratificación económica refleja la realidad: tendremos éxito todos juntos o fracasaremos juntos.

Cuando estamos todos en el mismo barco y cada uno de nosotros se juega algo personalmente, tenemos un mayor incentivo para trabajar de manera cooperativa. Pero, yendo más lejos, compartiendo la riqueza, reconocemos el papel fundamental que desempeñan las personas en el logro de cualquier éxito. Esto tiene un profundo impacto en las personas con las que trabajamos. Fomenta su lealtad y se sienten valoradas.

Sentirse valorado es una de las cosas que más desean las personas en su trabajo. Quieren saber que cuentan para algo. Lamentablemente, muy a menudo las personas no se sienten valoradas por sus empresas. Actualmente esto representa un gran problema en Estados Unidos. Pero cuando las personas encuentran un trabajo en el que se sienten respetadas y apreciadas, se vuelcan en el mismo. Y ésta es una de las claves más importantes para el éxito.

Un tópico muy extendido en la actualidad afirma que es necesario todo un pueblo para educar a un niño. De hecho, para lograr cualquier cosa que tenga valor en los negocios es necesario contar con un equipo. Todos debemos formar parte de un equipo y, con el equipo adecuado, podemos lograr prácticamente cualquier cosa, además de disfrutar realmente de lo que hacemos.

6. Las personas hacen los negocios. Los negocios no hacen a las personas

Son las personas las que brindan oportunidades. Las oportunidades no surgen de los ordenadores o de las fotocopiadoras. Si tratas a las personas con respeto y dignidad, las oportunidades que pueden ofrecerte llegarán hasta ti de manera natural. El simple hecho de que reconozcas que las personas son algo más que los cargos que aparecen en su tarjeta de visita, y comportándote de manera coherente con esa forma de pensar, te convertirá en una persona mucho más atractiva a la hora de hacer negocios. A continuación expongo sólo dos ejemplos de cómo ese principio me ha llevado a lograr importantes éxitos en mi propia vida.

En 1989 vivía en la calle 57 en el este de Manhattan. Un día, mirando por la ventana, vi que una de las tiendas que había debajo de mi piso tenía la bandera española. De repente, sentí un misterioso impulso por hacer negocios en España. Llamé por teléfono a la embajada de España y pregunté cómo podía ponerme en contacto con inversores potenciales en España que estuvieran interesados en el campo de la biotecnología. La persona que contestó el teléfono en la embajada le pasó la llamada al agregado comercial, que me facilitó una lista de personas con las que podía ponerme en contacto. Dos semanas después estaba en Madrid, en el Banco Inversión, donde me reuní con Pepe Díaz, un ejecutivo senior que se convertiría no sólo en un importante cliente, sino también en un buen amigo y socio. Durante varios días me dediqué a conocer a Pepe, no sólo en su función en el banco, sino también como persona. También me dediqué a conocer mejor el banco —el tipo de personas que lo dirigía, sus clientes y los objetivos que la dirección había fijado para la empresa—. Después, le presenté a Pepe varias posibles oportunidades de inversión y le dije que se tomara el tiempo necesario para decidir. Una vez hecho esto, regresé a casa.

Cuando volví a mi despacho la semana siguiente ocurrieron dos cosas que me sorprendieron. La primera fue que otro de mis socios me dijo que también había intentado hacer negocios con Pepe y con el Banco Inversión, sin éxito. La segunda fue que, unos días después, Pepe me llamó para decirme que tanto él como el banco estaban interesados en invertir conmigo.

«¿Por qué? —le pregunté cuando me llamó para darme la noticia—. Uno de mis socios acaba de decirme que nuestra compañía ya se había puesto en contacto con vosotros y que no os había interesado hacer negocios con nosotros».

«A diferencia de tu socio, no nos pediste que rellenáramos un formulario de apertura de cuenta cuando nos reunimos. A ti te interesaba conocernos a nosotros, conocer el banco y nuestras necesidades en el futuro. Ha sido el factor que ha marcado la diferencia.»

En los años siguientes, Pepe Díaz y su empresa, llegarían a convertirse, durante 1988 y 1989, en uno de los gestores de fondos de más éxito en toda Europa (Barron's Annual Ranking) y después fue nombrado presidente y consejero delegado de Banco Inversión. Sin duda alguna, Pepe era un cliente al que merecía la pena conocer y hoy seguimos siendo amigos.

6.1. Trata a tus subordinados con dignidad y respeto

Resulta natural tratar a las personas que han alcanzado el éxito con respeto y dignidad. Muy a menudo esas personas tienen poder y una posición consolidada; por tanto, es fácil tenerlas en gran estima. Sin embargo, una de las cosas que revelará tu personalidad y tus valores es el modo en que tratas a las personas que se encuentran por debajo de ti en la jerarquía de la empresa, o a las personas que no pueden ofrecerte nada concreto en tu carrera. Sócrates dijo que se conoce a una sociedad por la forma en que trata a sus ciudadanos más débiles. En ningún otro lugar del planeta ese principio guía a una sociedad tanto como en Japón, donde los ancianos son venerados por su experiencia y sabiduría.

En Japón se dice que sigues siendo un ciudadano menor de edad y sigues estando verde hasta cumplir los 50 años. Sólo cuando cumples esta edad puedes pretender ser *sensei*, o maestro, y únicamente si has vivido tu vida correctamente hasta entonces. Esta actitud, claro está, tiene su lado positivo y su lado negativo. En el lado positivo, la sociedad japonesa se basa desde hace mucho tiempo en la tradición, que constituye la base de la estabilidad, los bajos índices de criminalidad y la ética en el trabajo. También trata a todas las personas mayores con mucha dignidad y respeto, reflejo, en mi opinión, de una sociedad verdaderamente avanzada. En el lado negativo, sin embargo, los japoneses no fomentan que sus jóvenes se proyecten y desarrollen nuevas ideas, animándolos, por el contrario, a que sigan las tradiciones de sus mayores. Por tanto, en el mundo de los negocios, la innovación y las nuevas iniciativas se desarrollan a un ritmo muy lento. A título ilustrativo, en japonés no existe ninguna palabra para *emprendedor*. Nosotros, en Occidente, especialmente en Estados Unidos, somos exactamente lo contrario: fomentamos la innovación y el desarrollo de nuevas empresas, la mayoría creadas por personas menores de 50 años. De hecho, en Estados Unidos, la mayoría de las nuevas empresas —y, por tanto, la mayoría de los puestos de trabajo que se crean— proceden de iniciativas de jóvenes emprendedores.

Sin embargo, en Japón estas costumbres empiezan a cambiar, y, de hecho, he sido invitado para empezar a dar clases de espíritu empresarial en la universidad más importante del país, la Universidad Nihon, junto con mis colegas, los doctores Yuichi Iwaki y Takashi Kiyoizume, en parte para apoyar a los hombres de negocios jóvenes en Japón.

En cualquier caso, los directivos de empresa japoneses a menudo valoran a una persona por el modo en que ésta trata a las personas mayores y a sus subordinados. Incluso antes de ser consciente de hasta qué punto esta regla era importante para los japoneses, me beneficié por el hecho de respetarla.

Hace unos años intenté colaborar en la financiación de una empresa de Estados Unidos por parte de inversores asiáticos. Organicé una reunión entre los ejecutivos de la empresa y un grupo de banqueros japoneses. Cuando las dos partes se sentaron a negociar, la reunión resultó un desastre. Naturalmente, me sentí responsable ante las dos partes por lo que parecía una horrible falta de sintonía entre los inversores y el consejero delegado de la empresa. Al final del día estaba hecho polvo. La reunión se había celebrado en Filadelfia y en el tren de regreso a casa me senté solo. El silencio imperante entre mis invitados y yo era tan denso que sentía como si llevara sobre mis espaldas todo el peso del tren que nos conducía a Nueva York. Cuando llegamos a la estación, yo iba andando unos pasos por delante del resto del grupo. De repente, vi a una mujer ciega de mediana edad que intentaba abrirse camino por la terminal abarrotada de gente. Olvidando por un momento mis problemas, me acerqué a la mujer, me presenté y le pregunté dónde quería ir. Me dio una dirección en Park Avenue, y le dije que estaba tan solo a un par de manzanas de mi despacho.

Soy sensible a las personas ciegas porque tengo una sobrina que nació con cataratas graves y glaucoma, por lo que padece deficiencia visual. Desde entonces, mi mujer y yo hemos intentado activamente contribuir con científicos y médicos para buscar una cura para la ceguera. También pertenecemos a la junta directiva de una asociación benéfica para niños ciegos. De ahí mi sentido natural de la solidaridad hacia las personas que padecen esta deficiencia.

—¿Podríamos ir andando? —me preguntó la mujer.

—Hace un precioso día de primavera —contesté—. ¿Por qué no? Espere aquí un momento mientras me despido de mis socios.

Cuál no fue mi sorpresa cuando mis clientes insistieron en venir conmigo. Por lo visto querían acompañarme hasta mi despacho. Y, de repente, me vi paseando del brazo de esa mujer ciega con cuatro japoneses muy serios andando solemnemente detrás de nosotros. Para entonces me había olvidado de que el día había sido un auténtico desastre. De hecho me sentía eufórico paseando por Park Avenue bajo el sol de primavera.

Más o menos un mes después, me informaron de que los inversores japoneses habían girado los fondos a la compañía americana. A pesar de todo, habían decidido invertir. Estaba absolutamente perplejo, pero no pude preguntar educadamente por qué habían decidido invertir hasta unos años después cuando, estando en Japón, tuve la ocasión de hablar en privado con uno de los miembros más jóvenes del grupo inversor japonés. Incluso entonces, abordar la cuestión requería cierto tacto, así que invité a mi socio a un restaurante donde los dos nos emborrachamos un poco a base de cerveza y sake. Cuando el ambiente ya estaba lo suficientemente relajado, le pregunté:

—¿Por qué decidió el señor Takagi [el vicepresidente ejecutivo de la compañía] seguir adelante con la inversión?

—Mi jefe dijo que nunca habría esperado ver a un joven americano dejarnos para prestar su ayuda a una extraña que la necesitaba —contestó—. Eso le impresionó. Dijo que confiaba en que usted mostrara hacia nuestra compañía el mismo respeto y cortesía que había brindado a esa extraña.

No fueron mis habilidades en los negocios las que consolidaron la operación, sino determinados valores humanos que esos inversores y yo compartíamos: el deseo de ser tratados de una manera determinada, especialmente cuando las cosas se ponen feas, y el respeto hacia las personas que aparentemente están en una posición de debilidad respecto a nosotros. Esa muestra de respeto les hizo pensar que podían confiar en mí, lo que era fundamental para el riesgo que asumían.

* * *

A pesar de que en Estados Unidos no tenemos la misma consideración hacia los débiles o las personas mayores —un fallo evidente de nuestra educación—, compartimos no obstante el ideal de que quienes se encuentran por debajo en la jerarquía de la empresa deben ser tratados con respeto y dignidad. No todos respetan ese ideal, claro está, pero la gran mayoría de nosotros sabe que deberíamos hacerlo. Aprendí lo importante que es este valor al principio de mi carrera, cuando estaba en el otro extremo de la jerarquía y trabajaba para una persona que todavía no lo había aprendido.

Cuando llegué por primera vez a Wall Street, trabajé como enlace entre agentes y operadores de bolsa en E. F. Hutton. Traté con personas maravillosas y con un operador que era un tirano humillante. Trataba a todos los enlaces de la oficina con arrogancia y desprecio. En lugar de apoyar a sus subordinados, los destrozaba en aras de su propia gratificación egoísta.

No tardé mucho en marcharme, abrirme camino en Wall Street y terminar siendo cofundador de una sociedad de capital riesgo especializada en biomedicina, donde ocupaba el cargo de director ejecutivo senior. Un día, el presidente de la compañía me llamó por teléfono y me dijo que estaba pensando en contratar a un nuevo ejecutivo y quería que yo estuviera presente en la entrevista. La entrevista ya había empezado cuando entré en el despacho del presidente. La mesa estaba situada frente a la puerta y cuando entré se levantó para presentarme. El hombre al que estaba entrevistando se levantó a su vez y se dio la vuelta para saludarme. En el mismo instante en que nos miramos, nos sentimos sacudidos por una corriente eléctrica al reconocernos: no era ni más ni menos que el tirano de E. F. Hutton. Se quedó lívido. Sonreí, me di la vuelta y salí del despacho. La entrevista había terminado.

La moraleja de esta anécdota es la siguiente: nunca abuses de tus subordinados, sea cual sea su cargo. Puede que no sigan estando por debajo de ti mucho tiempo, y la red de la vida puede ser un campo minado de ironía. O, como dijo en una ocasión Bill Gates, presidente de Microsoft: «Sé amable con los bobos. Puede que termines trabajando para uno».

7. Sé agradecido: marcará la diferencia

En Estados Unidos miramos mucho hacia el futuro, lo que es bueno en muchos sentidos. Es una de las razones por las que somos tan inventivos y creativos. También explica en parte por qué hemos alcanzado tantos logros en prácticamente todos los ámbitos. Tomamos impulso y, al hacerlo, creamos el futuro. Pero estar orientado al futuro también tiene su lado negativo. Hace que nos centremos en lo que no tenemos y deseamos tener, en lugar de valorar todo lo que tenemos y nos ha sido dado.

Cuando piensas en aquello que deseas, es inevitable sentir el vacío que provoca la ausencia del objeto deseado. Esa sensación de vacío puede cambiar tu percepción de lo que tienes y de todo lo que has conseguido, lo que puede llegar a convertirse en un problema muy importante. Puede llevarte a ser crítico hacia ti y hacia los demás. Puede cambiar el modo en que gestionas tu tiempo, en particular el tiempo que dedicas a tus seres queridos y a tus amigos, haciendo que dediques menos tiempo a actividades que no tienen nada que ver con tu trabajo o con tus ingresos. En resumen, puede impedir que transmitas afecto y que disfrutes de la vida.

El elemento capaz de cambiar esto es la gratitud. En ocasiones, tienes que relajarte y pensar en todo lo que te ha sido dado y todo lo que has conseguido, en particular cuando lo has hecho contra viento y marea. A veces, todos tenemos que hacer una pausa y dar las gracias.

La historia de Kart Warner es una de las más ejemplares que he escuchado en toda mi vida. Demuestra el hecho de que, en la vida, uno puede dar cinco pasos atrás para avanzar y tener todavía más éxito. Después de haber sido despedido de Green Bay Packers en 1994, Kurt trabajó en Hy-Vee Grocery Store por 5,5 dólares la hora almacenando mercancía en las estanterías. Practicaba lanzando grandes rollos de toallas de papel para concentrarse y mantener sus habilidades. En lugar de renunciar a sus sueños, aumentó su determinación de tener éxito frente a la adversidad. En 1997, hizo una prueba para los LA Rams y se convirtió en mariscal de campo de tercera línea. En 1999 sustituyó al mariscal de campo lesionado, consiguiendo dos trofeos MVP de la NFL en 1999 y 2001, así como una victoria y un trofeo MVP en la XXXIV Super Bowl.

7.1. La gratitud es la base de la satisfacción en los negocios y en la vida

Mis padres no tenían mucho dinero en la época en que nos criaron a mis hermanos y a mí. Incluso cuando ya éramos mayores, mi padre tenía unos ingresos medios de unos 40.000 dólares y nunca fuimos de vacaciones cuando éramos niños. Hasta que fui a la universidad y vi cómo pagaban mi educación no fui consciente del sacrificio que habían hecho por mis hermanos y por mí. Y sin embargo, mis padres siempre parecían satisfechos económicamente con lo que tenían. De hecho, mi padre siempre insistía en lo agradecidos que estaban por tener un jardincito en la parte trasera de la casa. Nunca se comparaban con otras personas (al menos nunca vi que lo hicieran) y siempre parecían tener suficiente. En una ocasión, recuerdo incluso que mi padre prestó dinero a un vecino que se había arruinado sin cobrarle intereses.

Una de las cosas que mi padre solía decirme era que sabía cuál era la diferencia entre «necesidades» y «deseos». «La gran diferencia entre las personas hoy en día y las que vivieron durante la Depresión —me dijo mi padre en una ocasión— es que, hoy, los deseos se han convertido en necesidades.» En la actualidad, muchas personas confunden ambas cosas, decía, y creen que «necesitan» todo nuevo producto que se anuncia, como si se tratara de algo fundamental para su supervivencia. Como bien señalaba mi padre, esta actitud genera una gran frustración, insatisfacción e infelicidad. Y todo ello se deriva de una ausencia básica de gratitud por lo que tenemos.

A veces merece la pena pensar en cuántas de nuestras necesidades reales y deseos han sido satisfechos o superados. De vez en cuando, siéntate en el sofá o en una habitación a solas y haz una lista con todas las cosas por las que estás agradecido en la vida. Y piensa también que la mayoría de las cosas que has conseguido y adquirido —por no decir todas— no tenían por qué haber llegado hasta ti. Las cosas podrían haber sucedido perfectamente al contrario.

A menudo pienso que nada de lo que realmente he conseguido tenía por qué suceder. Nada estaba garantizado. Y lo que es más importante, cada uno de los proyectos que he emprendido ha sido increíblemente delicado. En cada iniciativa se ha producido ese momento crítico en el que todo podría haberse ido al traste para terminar en fracaso. De algún modo, al final, todo terminó encajando, pero siempre fue necesaria una dosis de magia. Es importante reconocer esa magia, así como la fuente de la que procede, independientemente de cuál creas que sea. Si pensamos en todo lo que podría haber ido mal, y si plasmamos por escrito nuestra gratitud por todo lo que salió bien, estaremos algo más cerca de responder a la pregunta de Einstein de manera afirmativa.

8. Ayuda a quienes lo necesitan

Cuando era muy pequeño tenía un defecto al hablar que me hacía tartamudear un poco. Como se pueden imaginar, esto me provocaba un inmenso sufrimiento y vergüenza a esa edad. No quería que me preguntaran en clase o hablar en un grupo o a alguien con autoridad. Incluso comunicarme con mis amigos podía llegar a resultarme muy difícil y humillante. Cuando estaba en tercero, en la escuela Martin Avenue, en Bellmor, Long Island, Nueva York, en mi clase había una chica que tartamudeaba todavía más que yo. Me podía considerar el mismísimo Shakespeare comparado con ella. Y no puedo expresar la compasión que sentía hacia aquella niña. Me enseñó que, por muy mal que vayan las cosas, siempre hay alguien en una situación peor que la tuya.

Ese mismo año tenía una profesora que se llamaba Bárbara Johnson. La señora Johnson, como yo la llamaba, era una mujer guapa, alta y delgada, de pelo corto, ojos grandes y mirada comprensiva. Estaba haciendo un máster en educación por la Universidad de Hofstra, especializándose en problemas del habla, por lo que se tomó un interés especial conmigo. Quería enseñarme a dejar de tartamudear. Todos los sábados, la señora Johnson me llevaba a la Universidad de Hofstra, en Long Island, donde estudiaba, para ayudarme a aprender a comunicarme mejor. Después me invitaba a comer y seguía con la clase mientras almorzábamos. Por cada progreso que hacía, me premiaba con un caramelo, un helado, un refresco o algún otro capricho. Por lo que sabía, trabajaba con media docena de chicos, incluida la niña de mi clase que también tartamudeaba. Pero para mí, la señora Johnson era especial. Tenía la sonrisa más cálida que he visto jamás. Por supuesto, estaba absolutamente fascinado con ella. Bajo su dirección hice grandes progresos, y unos años después me liberé finalmente del problema. Juré que si alguna vez llegaba a ser profesor, mostraría al menos una décima parte de la integridad de la señora Johnson. Nunca le cobró a mi familia ni un dólar por su tiempo y experiencia. Hoy en día doy regularmente conferencias ante audiencias importantes y sigo pensando en esa magnífica mujer que me ayudó a recuperar la confianza en mí mismo.

La señora Johnson me dio algo más. Me enseñó a reconocer un aspecto bueno y generoso en la gente que encontraría a lo largo de mi carrera.

Cuando empecé a trabajar en una sociedad de inversiones, tenía un jefe llamado Charlie Murphy, que era el responsable de la oficina de E. F. Hutton en Binghamton, Nueva York, y que se convertiría en uno de mis mentores más importantes. Todas las semanas, una señora mayor entraba a nuestra oficina, leía el periódico, tomaba café, utilizaba la fotocopiadora y el teléfono y después se marchaba cuando le apetecía. Vestía modestamente y, para ser sinceros, no parecía totalmente en sus cabales. Durante mucho tiempo pensé que era una indigente, pero nunca dije nada respecto a sus repentinas apariciones, me limitaba a observar su presencia, lo que hacía y su comportamiento algo excéntrico. Charlie Murphy era perfectamente consciente de su presencia. A veces incluso la saludaba amablemente por su nombre. Esto duró varios meses. Un día, la curiosidad pudo más que yo: tenía que saber por qué Charlie permitía que esta indigente utilizara la oficina como si fuera suya.

—No es una indigente, Peter —me contestó Charlie con una sonrisa—. Se llama Doris. Vive en este barrio y no tiene otro lugar adonde ir.

Resultó que Doris había hecho una pequeña inversión con Charlie hacía muchos años y así se conocieron y se hicieron amigos. Pero, con la edad, tenía problemas de memoria y estaba senil. Por lo visto, pensaba que la oficina de inversiones era su propio negocio y que Charlie era el gerente que le llevaba sus asuntos. Charlie le siguió la corriente. No hacía daño a nadie, dijo, y suponía mucho para Doris.

—Como bien sabes, Doris es muy reservada y podemos permitirnos el coste del papel de la fotocopiadora y el teléfono. A veces hay que hacer cosas por las personas simplemente porque es bueno para ellas y para el barrio en el que trabajas —dijo Charlie.

Nunca volvimos a hablar sobre Doris, pero siempre que la veía —o pensaba en ella después de haber dejado Hutton— me maravillaba la generosidad de Charlie y su sabia actitud hacia los demás.

Al igual que varias personas con las que he trabajado a lo largo de los años, Charlie comprendía que, cuando alcanzas el éxito, tienes que encontrar el modo de devolvérselo a los demás. Con el éxito tienes una mayor responsabilidad hacia los demás. Me recuerda la famosa cita de la Biblia que hizo el presidente John F. Kennedy, y que dice así: «De aquel que ha recibido mucho, se espera mucho». Dijo esto para recordar a los americanos su responsabilidad mutua y hacia el mundo.

En Oriente se dice que cuando el trigo es joven y arrogante se alza erguido y mantiene la cabeza alta, pero cuando alcanza la madurez, baja la cabeza y se muestra humilde. En ese momento, se puede cosechar el trigo para que nos alimente a todos.

Charlie Murphy fue una de las primeras personas en el mundo de los negocios que me enseñó que el éxito conlleva la responsabilidad de ayudar a los demás. Otra persona que lo sabe muy bien es Aaron Feuerstein, el propietario de Malden Mills, una fábrica textil en Lawrence, Massachusetts.

El 11 de diciembre de 1995, un incendio arrasó Malden Mills. En una sola noche, la mayoría de los 3.100 empleados de la empresa se quedaron sin trabajo. Por la mañana, todo el mundo en Lawrence sabía que no eran sólo esas personas y sus familias las que iban a tener dificultades económicas. Sin la fábrica y el dinero que los empleados gastaban en Lawrence, la mayor parte de los demás negocios de la ciudad —tiendas de alimentación y de ropa, gasolineras y los locales del centro comercial— tendrían dificultades. Muchos se verían obligados a cerrar. Los responsables locales de Lawrence, una ciudad situada al este de Massachusetts, no lejos de Boston, sabían que la ciudad estaba al borde la ruina —¡y sólo faltaban dos semanas para Navidad!

Como todos los hombres de negocios saben, un incendio, especialmente un incendio devastador, puede hacer que los propietarios se replanteen toda la operación. ¿Reconstruyen en la misma localidad, donde la mano de obra es cara, o trasladan la fábrica al extranjero, donde la mano de obra barata puede contribuir a aumentar los beneficios? Aaron Feuerstein, el propietario de Malden Mills, se enfrentaba a ese dilema. Sabía hasta qué punto Lawrence dependía económicamente de él y de sus empleados; también sabía hasta qué punto esas 3.000 personas necesitaban el trabajo.

Feuerstein, cuyo abuelo había fundado Malden Mills en 1907, no tardó en anunciar su decisión. Esa mañana, mientras caminaba entre los escombros de lo que fuera su próspera fábrica y contemplaba las muchas vidas que se encontraban en juego, anunció que reconstruiría Malden Mills exactamente en el mismo lugar donde estaba y, mientras reconstruía la fábrica, no permitiría que sus empleados se murieran de hambre. Decidió pagar a todos los empleados su salario habitual durante meses, después de que el fuego hubiera destruido su negocio. Incluso concedió primas de Navidad.

«No había lugar a dudas sobre la decisión que debía tomar —dijo posteriormente Feuerstein—. De ningún modo iba a dejar a 3.000 personas en la calle, y de ningún modo iba a condenar a Lawrence al desastre económico.»

Feuerstein tomó la decisión incluso antes de saber si su seguro contribuiría a la reconstrucción de la fábrica. De hecho, la compañía de seguros tardó 18 meses en confirmar que cubriría las pérdidas de Malden Mills. Pero Feuerstein ya había iniciado la reconstrucción antes de que la compañía de seguros tomara la decisión. Para entonces, la noticia de su decisión y su magnanimidad había llegado a muchos admiradores y amigos influyentes, —incluido el presidente Clinton, que invitó a Feuerstein a sentarse a su lado en su toma de posesión en 1996; el secretario de Trabajo, Robert Reich, que ayudó a conseguir una subvención de un millón de dólares del Departamento de Trabajo para contribuir a poner en marcha la reconstrucción; el senador de Massachusetts Edward Kennedy y gran parte de la comunidad religiosa de Boston, incluido el cardenal Bernard Law, que equiparó el compromiso de Feuerstein con la «justicia social fundamental» al trabajo de la Madre Teresa.

Cuando Malden Mills abrió las puertas de su fábrica textil de vanguardia valorada en 130 millones de dólares en septiembre de 1997, Lawrence estalló en júbilo. Feuerstein, que entonces tenía 71 años, dio las gracias a Dios e hizo referencia a la Biblia en su discurso ante las 30.000 personas que asistieron a los festejos de la inauguración. «Todo lo que puedo decir es que cada persona debe poner su grano de arena y confiar en que su gesto tendrá una influencia en los demás», afirmó.

Feuerstein se convirtió en el ejemplo de lo que un hombre o una mujer deberían ser cuando alcanzan éxito y posición en la vida. Ha dado conferencias ante organizaciones de estudiantes de muchas universidades. Ha sido el orador principal en importantes congresos y reuniones de directivos de empresa en todo el país. Y ha hablado en muchas escuelas primarias sobre ética y valores para la vida. Después de una de esas charlas, un joven estudiante declaró a un periodista del *Boston Globe* que si se hubiera encontrado en el lugar de Aaron Feuerstein, también habría sabido lo que tenía que hacer, pero dudaba de que hubiera tenido el valor de hacerlo.

Aaron Feuerstein se ha convertido en un líder en cuanto a conciencia y visión, y lo ha hecho tocando la fibra sensible que todos nosotros llevamos en el corazón.

Al fin y al cabo, los valores definen quiénes somos como personas y de quiénes nos rodeamos. Me recuerda a lo que Mahatma Gandhi dijo en una ocasión a un periodista.

Gandhi estaba subiendo a un tren cuando el periodista se acercó corriendo y le pidió que hiciera una declaración. «¿Quiere transmitir algún mensaje a mis lectores?», le dijo el periodista a Gandhi mientras éste subía al tren. Gandhi sacó un lápiz y garabateó algo en un trozo de papel. Se lo dio al periodista y desapareció en el interior del tren. El papel decía: «Mi vida es mi mensaje».

Lo mismo puede decirse de cada uno de nosotros.

3 | No hay éxito sin fracaso

*Muchas personas se pasan la vida yendo a pescar,
sin saber que lo que buscan no son peces.*

HENRY DAVID THOREAU

Empecé a trabajar en Wall Street a los 21 años, y al llegar a los 30 había hecho lo que la mayoría de las personas considera una pequeña pero significativa fortuna. Sin embargo, no duró mucho tiempo. Enseguida, perdí prácticamente todo cuanto tenía. Y la pérdida fue especialmente difícil porque el revés que sufrí se debió totalmente a mi falta de criterio. El único responsable de haber derrochado mi éxito fui yo.

Fue el primer gran fracaso que experimentaba en los negocios, pero era joven, ambicioso y tenía seguridad en mí mismo. Me dije que sería capaz de volver a hacerlo. Tres años después había ganado cinco veces más de lo que había perdido a los 30 años. Era rico —al menos sobre el papel. En unos meses volví a perderlo todo. No sólo volví a mis modestos medios anteriores, sino que me di cuenta de que era estúpido. Había experimentado el más completo y absoluto fracaso, me dije. En realidad, no sólo me había fallado a mí mismo, había fallado a mi familia, a las personas que me importan fuera del ámbito familiar y a muchas otras personas, incluyendo las que trabajaban conmigo, que también podrían haber salido ganando con mi éxito. Me sentía cómo si le hubiera fallado a todo el mundo, especialmente a mi mujer, Donna. Afortunadamente para mí, a mi mujer nunca le importó demasiado el tipo de éxito con el que yo soñaba. Gracias a Dios, nunca dejó de creer en mí, algo que yo no podía decir. Durante un tiempo, dudé de mis habilidades y criterio como hombre de negocios.

El fracaso me llevó a analizar mi personalidad y mi alma como no me había ocurrido nunca antes en la vida. ¿Quién soy?, me pregunté. ¿Cuáles son mis puntos fuertes y, lo que es más importante, cuáles son mis puntos débiles? ¿Dónde he fallado, no una sino dos veces? ¿Qué arrogancia e inmadurez profundamente arraigadas me impulsaron a ser tan displicente justo en el momento en que había alcanzado la cumbre de mi carrera? ¿Qué debería haber hecho de otro modo? ¿Si tengo otra oportunidad de éxito, cómo debería comportarme para asegurar que mi éxito dure? ¿Cuáles son realmente mis metas en la vida? Por último, me pregunté: ¿Cuál es el propósito y el significado del fracaso y cómo debería reaccionar ante ello?

Resultó que ese período fue uno de los más ricos y educativos de toda mi vida. En efecto, desde entonces he cosechado muchos éxitos. Pero creo que nunca lo habría hecho si no hubiera fracasado tan estrepitosamente antes. Si vuelvo la vista atrás, me doy cuenta de que el fracaso constituye un elemento esencial para el éxito. De hecho, ya no creo en el fracaso, al menos tal y como lo define la mayoría de la gente. En nuestra cultura, la gente concibe el fracaso como una condición estática, un punto terminal, en el que se pone de manifiesto nuestra incapacidad de alcanzar objetivos, deseos o metas. Se considera una condición más o menos permanente. Éste es un modo totalmente equivocado de entender el fracaso.

A lo largo de los últimos diez años he analizado detenidamente la vida de personas que han alcanzado un gran éxito y he descubierto que todas ellas han superado períodos en sus vidas en los que todos sus esfuerzos parecían fracasar. La diferencia entre una persona de éxito y una persona sin éxito no es el fracaso —ambas acumulan fracasos—, sino cómo responden en los tiempos difíciles. Hoy en día soy consciente de que la vida es como una ola—, con altibajos, con momentos buenos y momentos malos. Y la vida no se detiene en un punto determinado de la ola. El éxito y el fracaso son simplemente palabras que utilizamos para describir diferentes puntos de la ola. Siempre que te encuentres en racha, debes ser consciente de que es algo temporal. Vendrán muchos más altibajos. Las personas mantienen las circunstancias generales de su vida —como éxitos o como fracasos— a través de lo que creen fundamentalmente sobre sí mismas. Nuestro criterio y nuestras acciones surgen a partir de lo que creemos que somos.

Pensemos en la vida de Abraham Lincoln, al que los historiadores suelen considerar el presidente más importante de Estados Unidos. Pocas naciones han dado nunca un líder con la personalidad, la lucidez y la visión de Lincoln. Y sin embargo, antes de convertirse en presidente, en 1860, a los 51 años, el currículum de Lincoln era una larga lista de fracasos. En 1831, su negocio se hundió. Al año siguiente se presentó al Parlamento del Estado de Illinois y perdió. Decidió entonces volver a los negocios de nuevo y vio cómo su nueva empresa fracasaba. En 1835, su prometida murió y un año después sufrió una crisis nerviosa. En 1843 fue candidato al Congreso de Estados Unidos y fue derrotado. Cinco años después volvió a presentarse y volvió a perder. En 1855 se presentó al Senado de Estados Unidos y resultó derrotado; un año después se presentó a vicepresidente y perdió de nuevo. En 1859 volvió a presentarse al Senado y volvió a perder. En 1860 se convirtió en el 16.º presidente de los Estados Unidos.

La gente no recuerda a Lincoln por sus fracasos, claro está, sino por sus mayores éxitos: mantener la unidad de una nación que se estaba desmembrando como resultado de dos sistemas económicos y de valores opuestos, y devolver la libertad a los afroamericanos. Como demuestra la vida de Lincoln, el fracaso no define a una persona tanto como lo que esa persona hace después de experimentarlo.

Sin embargo, existe una especie de fórmula para el éxito. O para ser más precisos, hay un modo de abordar la vida que aumenta las posibilidades de éxito. Una parte fundamental de ese secreto para el éxito es cómo nos comportamos cuando las cosas se ponen muy difíciles y desesperadas, cuando nuestras vidas parecen fuera de control. Ése es el momento que determina realmente el éxito o el fracaso. Es el momento en el que empiezan a ocurrir cosas misteriosas, cuando la red de la vida empieza a tejer su magia.

Empezamos a comprender la red de la vida examinando nuestros propios éxitos y fracasos, así como los de los demás. Permítanme empezar contándoles en detalle algunos de los míos propios, incluyendo mis dos mayores fracasos en los negocios. También compartiré los de otras personas de mucho éxito, para mostrar cómo convirtieron esos aparentes fracasos en grandes éxitos.

1. El largo camino hasta la cumbre de la montaña, y el rápido descenso

En el verano de 1989, el mundo entero parecía estar al alcance de mi mano. Había contribuido a financiar una empresa de biotecnología que estaba desarrollando varios compuestos nuevos que, en opinión de los analistas, prometían ventas significativas. Acordé contribuir a buscar capital para la empresa sobre la base de su fármaco estrella que estaba a punto de ser comercializado y recibí acciones de la compañía.

La posibilidad de que yo buscara la financiación fue muy discutida, debido a mi juventud e inexperiencia. Muchos se preguntaban cómo iba a ser capaz de apostar por el caballo ganador.

Dos de esas personas eran mis propios padres. Según la normativa de la Comisión del Mercado de Valores (SEC), no está permitido que los familiares directos de un bróker de Wall Street o de un especialista en capital riesgo inviertan en una OPV (Oferta Pública de Venta), IPO (Inicial Public Offering) en sus siglas en inglés. Sin embargo, un bróker o un banquero pueden perfectamente animar a personas cercanas a comprar acciones de la compañía una vez que ya se cotizan en bolsa, lo que se denomina el «after market». Después de haber encontrado la financiación y de que las acciones salieran a bolsa, les conté a mis padres la operación y las excelentes perspectivas que podía haber.

—Comprad algunas acciones —les dije—. Creo que la cosa va a ir muy bien.

—Vale, vale —me contestaron.

Pero nunca lo hicieron. Interpreté su reticencia como una falta de confianza en mí. Después de todo, era su hijo, sólo tenía 28 años. ¿Qué podía saber yo?

Por supuesto, mis padres no eran los únicos que pensaban así. Cien inversores rechazaron mi oferta antes de conseguir una única persona que invirtió en la compañía. No cejé en mi empeño y, finalmente, conseguí dos compañías —una americana y otra japonesa— que invirtieron la mayor parte de lo que necesitábamos. Pero muchos otros inversores pequeños, aunque significativos, también se sumaron a la operación. En cualquier caso, rematé la operación, creamos una nueva empresa en torno al nuevo fármaco, hicimos la OPV y cerramos el lanzamiento.

El precio inicial fue de un dólar por acción, y al cabo de 18 meses había subido hasta 15 dólares por acción. Llegados a ese punto, mis inversores y yo habíamos conseguido un retorno sobre la inversión muy significativo. Puedo decir, como mínimo, que me sentía eufórico. No sólo había conseguido cerrar mi primera operación con éxito, sino que el éxito superaba los sueños más descabellados y suponía, además, mi confirmación. Todos los inversores potenciales que no habían confiado en mí porque era demasiado joven y estaba verde, m podían leer ahora en *The Wall Street Journal*, todos los días, lo que se habían perdido. Además, había demostrado quién era ante mis padres, lo que también fue un importante acontecimiento en mi vida. Por fin me veían como un hombre de negocios, un especialista en capital riesgo cualificado. Pero lo más importante era que yo me veía como una persona con talento capaz de hacer que las cosas ocurrieran. Me veía bajo un nuevo prisma. No era sólo porque de repente tenía dinero; en realidad, tampoco me iban tan mal las cosas antes de que la operación tuviera tanto éxito. Lo que más me importaba era ser consciente de que podía hacer ese trabajo, que era capaz de reconocer una oportunidad —que ya de por sí es un importante talento— y convencer a la gente para que invirtiera importantes sumas de dinero en una iniciativa muy especulativa. Y además, por si todo lo anterior no fuera suficiente, vi que podía cumplir la promesa hecha a los inversores.

En realidad, al principio de una operación nunca prometes el éxito a ninguno de tus inversores, aunque se trate de inversores importantes, o lo que se denomina inversores acreditados, es decir, personas que han tenido un salario de al menos 200.000 dólares durante dos años y/o cuyo patrimonio neto es de un millón de dólares; es ilegal e inmoral prometer que la operación va a tener éxito. Nadie sabe lo que ocurrirá con una compañía o con determinadas acciones. Las personas con un alto nivel de formación y educación hacen sus mejores previsiones, y eso es todo cuanto pueden hacer. Lo que sin embargo sí prometes es que el dinero de los inversores se destinará a aquello en lo que han invertido; que los mantendrás plenamente informados de cada paso en el progreso de la operación, y que harás todo lo posible para que la operación tenga el éxito que todos esperan. Y nada más. Eso es todo lo que puedes hacer. Pero después de nuestro éxito sentía que había tomado el dinero de esas personas y les había devuelto mucho más dinero. Es una sensación mágica. De algún modo, había participado en un proceso en el que la gente había arriesgado recursos muy importantes, cosechando un éxito que superaba sus expectativas. Y yo había contribuido a que ocurriera.

No tuve la oportunidad de jactarme de ello mucho tiempo antes de que las acciones empezaran a caer. «¡Dios mío!», me dije un día al ver cómo empezaban a hundirse. De hecho, sabía de antemano que las cosas iban a torcerse porque habían circulado malas noticias en torno a la empresa y el nuevo fármaco, pero no pensé que se hundiría tan rápido. Les dije a mis inversores que si querían vender, deberían hacerlo. Les transmití, entonces, que sólo perderían una parte de lo que habían ganado en la bolsa, no su inversión original. Sin embargo, algunos de los inversores importantes decidieron no vender y, por supuesto, yo fui uno de ellos. Resultó que nos equivocamos.

Cuando finalmente amainó la tormenta, las acciones habían caído de 15 a 2 dólares. Algunas personas perdieron mucho dinero, y me sentía fatal por ello. También me sentía fatal respecto a mis propias pérdidas, pero no por la razón que se imaginan. En efecto, sufrí porque volvía a ser un tipo del montón, con un salario normalito, ya no era rico y me desinflé como una rueda pinchada. Pero por encima de eso era consciente de que no se trataba sólo de *mi* dinero, era el dinero de mi mujer, el dinero para la educación de nuestros hijos. También era el dinero que debía mantener a las personas que trabajaban conmigo y que habría mejorado sus vidas. Antes de que las cosas se pusieran feas, parecía que todos habíamos tenido éxito juntos, y ahora nos hundíamos todos juntos. Le había fallado a la gente. Debería haber vendido cuando las acciones todavía tenían valor pero la tendencia estaba clara. En lugar de ello, había aguantado a pesar de que las señales eran evidentes. Era arrogante e insensato, me dije. Durante un tiempo, me sentí hundido.

Pero no soy de los que permanecen deprimidos mucho tiempo. No forma parte de mi personalidad. Empecé de nuevo al siguiente lunes por la mañana e hice lo mismo que había estado haciendo antes: trabajar en nuevas operaciones y esforzarme por tener éxito. Entre tanto, no vendí mis acciones. Decidí que no tenía sentido vender. Habían tocado fondo. Así que podía conservarlas y vender cuando se revalorizaran un poco. Durante mucho tiempo, las acciones simplemente se mantuvieron ahí y prácticamente no se movieron —pequeñas subidas seguidas de pequeñas bajadas—. Pero en 1992 empezaron a subir progresivamente de nuevo hasta que, en el verano de 1994, llegaron a 40 dólares por acción. ¡Increíble! Quién se iba a imaginar que las acciones que se habían colapsado se recuperarían por encima de las expectativas más descabelladas.

Huelga decir que en aquel momento era un joven relativamente rico. No sólo era rico, sino que se reconocía mi valor. Volví a experimentar los mismos sentimientos que tres años atrás. Cuando todos habían perdido la cabeza y saltaron del caballo, yo me había mantenido cabalgando. Era un visionario, un sabio, y ahora me veía recompensado por mi buen criterio. Todas esas dudas que todavía me acechaban como pequeñas pero dolorosas heridas se bañaban ahora en las curativas aguas de mi éxito. En mi empresa me felicitaron por la inteligencia que había demostrado conservando unas acciones que la mayoría consideraba que no tenían prácticamente ningún valor. Sin embargo, uno de mis amigos me dio un consejo diferente:

—Vende ahora, Peter —me dijo—. No volverás a encontrarte ante una oportunidad como ésta.

Decidí no seguir su sabio consejo. Pensé que las acciones subirían hasta 100. No tenía ni idea de que las cosas estaban a punto de cambiar.

Pronto aparecieron noticias sobre efectos secundarios relacionados con el fármaco. Las acciones cayeron rápidamente. Ya saben, se tarda mucho en subir del segundo piso al piso 40, pero sólo se tarda unos segundos en llegar abajo si te tiras por la ventana. Y eso es lo que ocurrió con las acciones, cayeron como un cuerpo desde una gran altura.

Tres meses después perdí el 90 por 100 de lo que había ganado, y de nuevo volvía a ser humilde. ¿Cómo podía haber sido tan estúpido?, me pregunté. ¿No había aprendido nada de mi anterior fracaso? ¿No había dicho que vendería para mantener mi éxito y el de las personas de mi entorno? Sí, pero no estaba escuchando realmente. ¿Verdad? Cuando las acciones empezaron a subir de nuevo pensé que era una locura vender antes de que llegaran a 100 o más.

Contemplando mi estupidez, recordé una cita del barón Rothschild, quien, cuando le preguntaron cómo se había hecho rico, contestó: «Siempre vendo demasiado pronto».

2. Lecciones de la vida que conducen al éxito

Mi fracaso desencadenó otro largo brote de introspección, pero esta vez mucho más profundo y serio. No me dejé llevar por la autocompasión, sino que asumí la responsabilidad de mis acciones. ¿Qué sé hacer en este negocio? ¿Cuáles son mis puntos fuertes? Y, tal vez lo más importante, ¿cuáles son mis puntos débiles y lagunas?, me pregunté. ¿Cómo puedo estructurar mi vida profesional para maximizar mis talentos y capacidades y conseguir el apoyo que necesito en los ámbitos donde soy más débil?

Cuando me hice esas y otras preguntas parecidas empecé a crecer a partir de mi experiencia, y fue entonces cuando arrancó mi éxito. Me di cuenta de que mi punto fuerte es ver oportunidades de negocio, recaudar fondos y estructurar operaciones. Soy capaz de estimular a los inversores, reunir capital, constituir empresas y llevarlas al éxito. Pero no soy un buen operador de bolsa, no sé cómo vender. Una vez que la empresa ha tenido éxito, tengo que apartarme y dejar que un operador cualificado asuma el mantenimiento de las acciones, incluida mi propia cartera.

En el mercado actual, en el que puedes comprar acciones por Internet y ser tu propio bróker, todo el mundo se cree un genio de la bolsa. Pero lo que diferencia a una persona corriente de un operador profesional es saber cuándo aguantar y cuándo retirarse. Los grandes operadores saben cuándo tienen que vender. Hay toda una ciencia y un arte en ese aspecto del mercado. Y la verdad es que yo no tengo ese talento. Como profesional del capital riesgo, siempre he mantenido la ética de que mi dinero debía ser el primero en entrar y el último en salir. Siempre he creído que tengo que estar en el mismo barco que mis inversores. Siento que debo demostrar que creo con tanta convicción en lo que hago, que no les abandonaré ni a ellos ni a la empresa que he contribuido a apoyar o a crear, especialmente cuando las cosas van mal. Y de hecho así es cómo realmente lo siento, creo en lo que hago.

Pero ésa no es la ética de un buen operador. Para un operador con talento, todas las acciones son iguales, sólo le interesa el rendimiento y mantener el activo de un inversor. Y así es cómo hay que actuar para tener éxito en Wall Street.

Recuerdo que conocí a uno de los operadores más importantes que haya habido nunca, el legendario Ace Greenberg, que me contó una historia sobre cómo tener éxito en Wall Street. Veinte años antes, Ace estaba jugando al bridge en la misma mesa que Milton Petrie, uno de los grandes empresarios de comercio minorista y filántropos del siglo xx. Milton le preguntó a Ace si sabía algo de Dome Petroleum, una compañía petrolera canadiense que cotizaba en bolsa.

—Sé mucho sobre esa compañía —contestó Ace.

—Pues dígame qué es lo que sabe —le dijo Milton.

—Sé cómo comprar sus acciones y cómo venderlas. ¿Qué es lo que quiere que haga? —replicó Ace.

—Cómpreme acciones por valor de 25.000 dólares —dijo Milton.

Para las personas corrientes, esta historia es graciosa pero no tiene mucho sentido. Pero para alguien que comprende Wall Street, la historia lo dice todo. Ace Greenberg estaba diciendo que no tenía ningún vínculo en absoluto con ninguna compañía más allá de su comportamiento en bolsa. Además, sabía exactamente cuándo comprar acciones y cuándo venderlas para que su cliente hiciera dinero. Es un gran talento. Los que saben cuándo comprar y cuándo vender harán dinero, independientemente de que la tendencia del mercado en ese momento sea alcista o a la baja. Milton Petrie era un hombre sofisticado que comprendió lo que Ace estaba diciendo, y por eso le pidió inmediatamente que comprara acciones por valor de 25.000 dólares.

Una de las cosas que le recomiendo a la gente que haga es la siguiente: cuando un paquete de acciones va bien, retira la inversión original, es decir, retira de la operación tu dinero y deja que los beneficios permanezcan en el mercado. De ese modo te proteges frente a pérdidas importantes. Si las acciones duplican el valor de tu inversión original, retira la cantidad equivalente a tu inversión original, de manera que, esencialmente, has duplicado tu dinero, y deja el resto de los beneficios en el mercado. De este modo, siempre obtienes algo a cambio y te proteges frente a las pérdidas.

Hoy en día me concentro en lo que sé hacer mejor y dejo que mi operador haga lo que él hace mejor que yo. Estoy muy contento con los resultados. Cualquiera que sea tu negocio es fundamental que sepas cuáles son tus puntos fuertes y tus puntos débiles. Legalmente está permitido que un médico ejerza cualquier especialidad, lo que significa que un cirujano cardiovascular puede ejercer la neurología, que un especialista en medicina general pueda ser urólogo, y sin embargo no lo hacen. ¿Por qué? Porque nadie puede ser bueno en todos los aspectos de su profesión, y ser médico supone una responsabilidad tan grande y requiere tantos conocimientos que sería imposible ejercer todas las especialidades médicas. Si un médico quiere ser bueno en su profesión, debe especializarse para poder saber todo lo que tiene que saber en su ámbito de experiencia (en el capítulo 7 volveremos sobre este tema).

Lo mismo ocurre en los negocios. Nadie es bueno en todos los aspectos de su negocio. El verdadero poder y el éxito se derivan de conocer tus puntos fuertes y tus puntos débiles y crear un círculo de apoyo a tu alrededor que maximice los primeros y compense los segundos.

Una de las cosas que he aprendido de mis fracasos es contratar a personas que considero más inteligentes que yo, especialmente en los ámbitos donde tengo debilidades. Una vez hecho, les pago bien y les dejo hacer lo que hacen mejor.

Tienes que darles a las personas la oportunidad de tener éxito permitiendo que hagan aquello en lo que son buenos. Como en la mayoría de las profesiones, los negocios son un trabajo en equipo, en colaboración. Si se trata de una operación individual, el fracaso está prácticamente garantizado.

3. Fracasar hasta llegar al éxito

Hay una vieja máxima que dice: si siempre haces lo que siempre hiciste, siempre obtendrás lo que siempre obtuviste.

Creo que la mayoría de nosotros seguirá haciendo exactamente lo que siempre hemos hecho, a no ser que hayamos fracasado de un modo evidente. Si tenemos un modesto éxito, nos gusta disfrutarlo y llegamos a creer que nos esperan éxitos mayores. En tales circunstancias, nunca llegamos a entender qué es lo que nos frena o nos impide realizarnos más allá de nuestro potencial. Pero cuando fracasamos, nos vemos obligados a cambiar y crecer, lo que nos convierte en personas más sensatas, más fuertes y más capacitadas para tener éxito.

No hay mejor ejemplo de esto que Pete Sampras, que, junto con Rod Laver, es sin duda el mejor tenista de todos los tiempos. Nadie ha mostrado nunca el talento y el potencial de Pete Sampras con una raqueta. En el momento de escribir este libro había ganado 63 títulos y 13 torneos del Grand Slam, siendo el jugador que más grand slams ha ganado en la historia del tenis. Pete ganó su primer título en un grand slam en el U.S. Open de 1990, cuando tenía 19 años. Según sus propias palabras, no estaba preparado para ese éxito, ni para mantenerlo. Como explicaría posteriormente, Pete se había preparado para una carrera mucho más modesta y para logros menos importantes, al menos hasta que experimentó una aplastante derrota en la final de 1992 del U.S. Open contra Stefan Edberg, el gran jugador sueco.

«[...] Hasta ese momento, me alegraba de llegar a la final, a cuartos de final o a semifinales en los torneos», declaró Sampras a *The New York Times* (11 de julio de 2000). «Me sentía satisfecho sólo con estar entre los 10 mejores jugadores del mundo. Pero ese partido cambió mi carrera. Simplemente me hizo ver, finalmente, que odio perder. Recuerdo ese partido contra Stefan Edberg, me relajé un poco al final y no me esforcé lo suficiente. Y meses después de esa derrota, seguía carcomiéndome por dentro. Sentía que había regalado el partido». Pete declaró posteriormente a CBS Sports que nunca habría ganado 13 grand slams si no hubiera perdido ese partido contra Edberg.

El fracaso convirtió a Sampras en el campeón que llegó a ser. La derrota le enseñó el valor de la victoria. Y también le enseñó lo que hacía falta para ganar. Se dio cuenta de que, en cierto modo, había permitido que se produjera el fracaso, o como dijo él, «Me relajé un poco al final y no me esforcé lo suficiente». No era sólo la víctima de un oponente; era víctima de su propia debilidad. Como era honesto consigo mismo, se vio desde una nueva perspectiva y se dio cuenta de cómo tenía que cambiar para desplegar todo su potencial.

La red de la vida, como un gran jardinero, utiliza el fracaso para podarnos y, en el proceso, para mostrarnos quiénes somos, qué estamos haciendo y cómo tenemos que cambiar para tener éxito. Al final, el fracaso puede ayudarnos a convertirnos en los individuos únicos que realmente somos. Si eres único, no puedes evitar tener éxito.

Prácticamente todo el mundo que tiene éxito en la vida lo ha conseguido después de haber experimentado algún tipo de fracaso. Como dijo en una ocasión B. C. Forbes, «La historia ha demostrado que los triunfadores más destacados se han enfrentado, por lo general, a tremendos obstáculos antes de triunfar. Y triunfaron porque se negaron a dejarse desanimar por la derrota». La pregunta que se plantea es cómo hay que responder ante la derrota para que el fracaso se convierta en éxito. Después de estudiar la vida de personas con éxito, y reflexionar en profundidad sobre mis propias experiencias a la hora de convertir en éxito los fracasos, he escogido cinco reglas para conseguirlo. Son las siguientes:

4. Las 5 reglas de peter para convertir el fracaso en éxito

4.1. Regla n.º 1: Escucha a tu corazón

Antes de reaccionar ante tu fracaso o tu pérdida, antes de cambiar nada en ti, reflexiona sobre lo que realmente quieres. Cuando sepas qué desea tu corazón, nunca abandones esa meta.

El fracaso es el mejor maestro que tendrás nunca. La primera y más importante lección que nos transmite se presenta en forma de pregunta: ¿Qué quieres hacer con tu vida? ¿Quieres permanecer en el ámbito o en la línea de esfuerzo en la que acabas de fracasar o existe otra línea de trabajo?

Estas preguntas no son tan sencillas como parece, en parte porque el fracaso siempre nos hace dudar de nosotros y dejar de creer, aunque sea momentáneamente, en nuestros objetivos, ambiciones y habilidades. Justo después de un aparente fracaso, evita abordar las dudas que tengas sobre tus habilidades o talentos. En lugar de ello, limítate a la cuestión de si realmente quieres ese tipo de trabajo o de negocio, si realmente quieres cumplir esa ambición.

Si la respuesta es afirmativa, pregúntate por qué. A veces queremos algo por razones equivocadas. Tal vez deseamos tener éxito en ese ámbito porque nos proporcionará un estatus o porque otra persona desea que ése sea nuestro camino en la vida. Nunca tendrás realmente éxito, ni te sentirás feliz con tu vida, si haces un trabajo o entablas una relación porque otra persona quería que lo hicieras. Es el camino más seguro a la infelicidad.

A lo largo de mi vida he trabajado con muchos médicos y puedo asegurarles que un porcentaje nada desdeñable de ellos son médicos no porque realmente eligieran esa profesión, sino porque su padre o su madre, o ambos, querían que fueran médicos. Lo mismo ocurre con los ingenieros, los brokers, los hombres de negocios y los profesionales del capital riesgo. Hay personas que se encuentran desarrollando carreras que no les producen una profunda satisfacción ni placer. Muchas de estas personas experimentan algún tipo de crisis en la madurez —un divorcio, una pérdida financiera o una enfermedad— que los lleva a reflexionar sobre sus elecciones y trayectoria profesional. En medio de esa crisis, se preguntan cómo han conseguido dedicarse a profesiones con las que nunca han disfrutado y de las que no querían formar parte. Las crisis o los fracasos son a menudo la medicina que te obliga a hacerte preguntas importantes que sólo tú puedes contestar. Este tipo de crisis vuelve a ponerte en contacto con quien realmente eres y con lo que realmente quieres en la vida. El fracaso vuelve a conectarte con tu corazón y con tu alma.

Resulta interesante que, en chino, el ideograma con el que se representa una crisis también significa oportunidad. Como los chinos entendieron hace ya mucho tiempo, el momento de la crisis también puede ser un momento de importante transformación y oportunidades, si sabes enfocarlo bien.

Me recuerda la anécdota de Bernie Marcus y Arthur Blank, encargados de Handy Dan, Inc., un centro de bricolaje y artículos de ferretería. En 1972, Handy Dan salió a bolsa, pero en 1977 llegó la recesión y Handy Dan se acogió a las disposiciones legales de protección contra la bancarrota de las empresas para reorganizarse y sobrevivir. En este proceso, el presidente de Handy Dan decidió despedir a Marcus y a Blank, que se encontraron en la calle y sin dinero. Tuvieron que preguntarse qué es lo que realmente querían hacer. Resultó que a ambos les gustaba el negocio de la ferretería y creían que podían tener éxito en ese campo, a pesar de su reciente fracaso. Con un compromiso renovado, consiguieron reunir el capital suficiente para abrir una pequeña ferretería a la que llamaron Home Depot, la tienda que se convertiría en la mayor cadena de ferreterías del mundo. No sólo permitió que Marcus y Blank ganaran miles de millones, sino que, como éstos ofrecieron acciones a sus empleados, también se hicieron millonarios conductores de camión, trabajadores de los almacenes y secretarias. En un momento dado, la cartera de acciones de la secretaria de Bernie Marcus estaba valorada en 6 millones de dólares.

Cuando perdí el dinero que había ganado en bolsa, tuve que preguntarme si ésa era la profesión a la que quería dedicarme el resto de mi vida. En mi caso, la respuesta fue afirmativa, pero con muchas salvedades. No podía seguir haciendo negocios del mismo modo. No podía seguir dedicándome a la vez a montar operaciones y a actuar como bróker. Tenía la capacidad y el talento sólo para una de estas profesiones, lo que suponía abandonar el trabajo para el que estaba menos preparado. De hecho, una vez que lo hice, me sentí libre de ser quien realmente soy. Fue una de las experiencias más liberadoras que he experimentado nunca en los negocios.

El fracaso me obligó a enfrentarme a mí mismo y valorar quién soy, en qué soy bueno y cuáles son mis puntos débiles. Me enseñó qué me correspondía hacer y qué no. En ese proceso se intensificó mi compromiso para hacerlo mejor. Y supuso una especie de renacimiento de mi vida profesional.

4.2. Regla n.º 2: Escucha las críticas

Nunca te midas en función de las valoraciones de tus detractores, pero escucha y aprende de sus críticas.

Ésta es una de las cosas más difíciles y maduras que puede hacer cualquier adulto: escuchar y reflexionar sobre las críticas de los demás después de haber experimentado un fracaso. Muchos negocios con éxito han aprendido esta lección. Tanto 3M como Procter and Gamble llevan tiempo ofreciendo a los clientes números de teléfono gratuitos para recoger quejas, de manera que las compañías pueden escuchar de sus propios clientes dónde están fallando. Si queremos tener éxito, tenemos que conocer nuestros puntos débiles.

Aun así, escuchar las críticas de otros es extremadamente difícil, porque cualquiera puede criticar a otro ser humano. Criticar no cuesta nada, cualquier estúpido puede hacerlo, y cuanto más estúpido sea, más criticará a los demás. Probablemente recuerden la historia de la Biblia sobre Job, un buen hombre que estaba padeciendo, injustamente, grandes pérdidas y terribles tormentos físicos. Dos de los supuestos amigos de Job disfrutaban diciéndole una y otra vez que él tenía la culpa de todos sus problemas. Job soportó un terrible dolor y las estupideces de hombres de menor valía. Todos hemos tenido esta experiencia en algún momento de nuestras vidas.

Cada vez que fracasamos, una parte de nosotros se siente como Job, víctima de un universo injusto. En lugar de regodearnos en estos sentimientos, debemos reponernos y escuchar a los que nos critican para ver si merece la pena tener en cuenta parte de lo que dicen. Tal vez alguna de las críticas pueda servirnos para acercarnos a nuestras metas y ambiciones. Evidentemente, no es tarea fácil, porque el fracaso hiere nuestro orgullo y nos hace cerrarnos frente a los que podrían hacernos sentir todavía peor.

Intenta que el mensajero no se interponga en el camino del mensaje. Si nos tomamos el tiempo de reflexionar, conseguiremos saber qué hay de cierto en algunas de las críticas dirigidas contra nosotros. Es posible que la red de la vida esté intentando sacarnos de un ámbito que no nos corresponde y que, de hecho, nos hará infelices a la larga. Busca la lección que puedes extraer del fracaso y, al final, te hará más fuerte y estarás más capacitado para alcanzar el éxito.

Herman Meier, medalla de oro en la prueba de descenso de esquí en los Juegos Olímpicos de 1998, fue excluido de su equipo de esquí en 1990, cuando sólo tenía 16 años, porque era «demasiado pequeño» y débil. En lugar de enfadarse y odiar al entrenador, Meier reconoció que probablemente éste tenía razón y que tendría que hacerse más fuerte para alcanzar su sueño de convertirse en esquiador de descenso de competición. ¿Qué es lo que hizo? Se puso a trabajar como albañil. Quien le haya visto esquiar sabe que es una fuerza de la naturaleza. Alto y musculoso, Meier parece un héroe de cómic sobre esquíes. En los Juegos Olímpicos de 1998 perdió el equilibrio cuando descendía a más de 64 kilómetros por hora, rebotó contra el suelo y salió volando más de 30 metros antes de estamparse contra la valla y el muro de contención. La gente, horrorizada, acudió corriendo pensando que se habría roto todos los huesos del cuerpo. Pero estaba bien, y siguió hasta obtener dos medallas de oro en los Juegos de Invierno de 1998.

Aprender del fracaso es un paso en el proceso para transformar dicho fracaso en éxito. Así aprendemos sobre nosotros mismos, nuestra vida y nuestras profesiones. Muchas personas con éxito consideran lo que denominamos fracaso simplemente como un paso en el aprendizaje hacia el éxito. Thomas Edison tuvo que hacer 2.000 experimentos antes de inventar la bombilla eléctrica. Un joven reportero, todavía muy verde, le preguntó cómo se sentía uno después de fracasar tantas veces. Edison contestó al joven descarado: «No he fracasado ni una sola vez. He inventado la bombilla eléctrica. Simplemente ha sido un proceso que ha requerido 2.000 pasos».

4.3. Regla n.º 3: «Sí puedes»

Ésta es la respuesta al 99 por 100 de las personas que preguntan si conseguirán alcanzar sus metas y ambiciones; también en tu caso. Sin embargo, encontrar cómo llegar a la realización de tu objetivo depende de ti.

Cuando nos casamos, mi mujer y yo teníamos muchas ganas de tener hijos, pero pronto descubrimos que yo tenía un recuento de esperma bajo, por lo que no conseguíamos concebir. De pequeño había tenido paperas y los médicos consideraron la posibilidad de que esa enfermedad hubiera afectado a mi fertilidad. Durante dos años consulté a los mejores médicos de Nueva York y de todo el mundo, y todos me dijeron que me olvidara de tener hijos. Con mi recuento de esperma nos resultaría imposible concebir. Uno de los médicos llegó incluso a sugerir que mezclara el esperma de mis dos hermanos con el mío para someter a mi mujer a una inseminación artificial. «¿Por qué no? —dijo el médico—. Es prácticamente el mismo conjunto de genes». Evidentemente, mi mujer se negó rotundamente.

Seguía pensando que tenía que haber un medio para mejorar mi recuento de esperma. «No —me decían los mejores doctores del mundo—. No se puede hacer.» Yo seguía buscando. Finalmente, encontré dos médicos que pensaron que podrían ayudarme, uno en Florida y otro en Israel. Sorprendentemente, ambos me dieron básicamente el mismo consejo: debía tomar todos los días 1.000 mg de vitamina C, una dosis diaria de zinc líquido, que debía tomar con un gotero, y uno o dos comprimidos de ajo Kyolic (se trataba de ajo sin olor, por lo que podría besar a mi mujer mientras intentábamos concebir). Además, debería evitar bañarme y ducharme con agua caliente y llevar calzoncillos tipo bóxer en lugar de eslip. En seis meses, mi recuento de esperma se había multiplicado por diez, y en el plazo de un año, mi mujer, Donna, se quedó embarazada. Hoy tenemos cuatro hijos sanos y estupendos.

Después de la intervención quirúrgica de la columna vertebral a la que me sometí, acudí a los especialistas en acupuntura, doctores Mark Seem y Su Negrin. Casi dos años después tuvimos nuestro cuarto hijo de forma natural. La acupuntura no sólo había tratado el dolor, sino que también aumentó mi recuento de esperma de manera natural hasta diez veces. He enviado a varios amigos para los que la fecundación in vitro no ha funcionado y casi todos ellos han conseguido concebir después de los tratamientos con Su.

Cuando nos dijeron por primera vez que tenía un recuento de esperma bajo, me sentí fatal de que mi mujer se viera privada de tener sus propios hijos debido a mi problema biológico. Para ser sincero, me sentía de algún modo inútil y responsable en gran medida del fracaso. Habría resultado fácil aceptar el diagnóstico de mis médicos —al fin y al cabo eran los expertos— y poner en marcha el proceso de adopción o renunciar totalmente a la idea de formar una familia. Me negué a ambas cosas, creía que podría curar cualquier problema que tuviera y recuperar mi recuento de esperma. Sólo necesitaba el consejo adecuado, y yo haría el resto.

Todos los días oímos hablar de personas que se recuperan de enfermedades que los médicos consideran incurables. Recuerdo la historia de Nathan Pritikin, un hombre que no había terminado sus estudios universitarios, y a quien los médicos le diagnosticaron en 1958 una enfermedad cardiaca incurable. Los médicos recomendaron a Pritikin, inventor y hombre de negocios de éxito, que se retirara de sus negocios y pasara el resto de su vida descansando. Sólo tenía 43 años. ¿Había algún modo de curar su enfermedad?, les preguntó a los médicos. «No», le contestaron. La enfermedad se debía al envejecimiento y al estrés, dos factores inevitables, especialmente para un hombre como Pritikin, que dirigía una gran empresa. Ése era el estado de conocimiento sobre las enfermedades cardiacas en 1958. Los médicos fueron categóricos: si seguía con su vida activa, moriría joven.

Pritikin se había interesado desde hacía tiempo por la salud y la nutrición y sabía que había algunas pruebas científicas que asociaban la dieta y el ejercicio con las enfermedades cardiacas. Investigó más a fondo, encontró más pruebas científicas que apoyaban su hipótesis y decidió crear su propio programa dietético y de ejercicio para curar su enfermedad.

En 1959 acudió a expertos en nutrición de UCLA y les dijo que quería reducir sus niveles de grasa y colesterol en sangre. Cuando el dietista le preguntó por qué, contestó: «Porque creo que la grasa y el colesterol pueden ser el origen de la enfermedad cardiaca».

El dietista de UCLA pensó que estaba loco y le dijo que probablemente resultara imposible reducir los niveles de grasa y de colesterol de su sangre. Además le dijeron que reducir los alimentos con un alto contenido en grasa y colesterol era peligroso, pues son los mejores alimentos que se puede tomar. Ante el hecho de que no existía ninguna dieta para las afecciones cardiacas, se inventó una.

En 1961 empezó a correr para ponerse en forma y reforzar su corazón. Fue mucho antes de que correr se pusiera de moda o incluso de que existieran zapatillas de *jogging*. Pritikin corría con calzado de calle, una curiosa visión por las tortuosas calles de la ciudad de Santa Bárbara, California. «La gente detenía el coche en el arcén y me preguntaba si estaba bien —recordaba muchos años después—. Pensaban que estaba corriendo porque tenía algún problema.»

No sólo resultaba extraño, además sus zapatos no facilitaban el apoyo y le causaban dolor en las rodillas. Cuando fue a ver a su médico y le dijo que estaba corriendo, el médico pensó que estaba loco. «Las personas mayores de 40 años no pueden correr», le dijo un médico. La razón médica era que sus rodillas se desgastarían. Ante el hecho de que quería correr y no existía calzado adecuado para ello, decidió inventarlo él. Pritikin fue a ver a un fabricante de zapatillas playeras y encargó unas zapatillas especiales para soportar sus piernas y sus pies mientras corría. A partir de entonces ya no tuvo problemas de rodilla.

De vez en cuando, a Pritikin se le ocurrían ideas que estaban muy por delante de su tiempo, y cada vez que tenía una de esas ideas, los mejores expertos del momento las tachaban de locura. Sin embargo, no se dio por vencido y terminó creando un programa dietético y de ejercicio que le curó su enfermedad cardiaca. Una vez curado, abrió el Centro Pritikin de Longevidad en Santa Mónica, California, que contribuyó a curar a decenas de miles de personas con enfermedades cardiacas, presión arterial alta, diabetes de tipo 2 y muchas otras enfermedades graves y mortales. También escribió varios libros que se situaron en las listas de los más vendidos y llegaron a millones de lectores. Nathan Pritikin cambió el modo de tratar las enfermedades cardiacas en Estados Unidos y en todo el mundo. Y lo hizo porque padecía un problema e insistió en que tenía solución.

* * *

Está en la naturaleza de las cosas que nuestros sueños se ven enfrentados a obstáculos. No me pregunten por qué, no lo sé. Sólo sé cómo son las cosas. Nuestra tarea consiste en superar los obstáculos y los muchos fracasos que encontraremos en el camino.

Muchas personas creen que el único obstáculo realmente importante para alcanzar sus sueños es el dinero. Me dicen constantemente que tienen una gran idea para un negocio pero que no disponen del capital para crearlo. Nueve de cada diez veces —o tal vez en un 99 por 100 de los casos— ése no es realmente el problema. Si tienes un sueño en el que crees, puedes reunir el dinero o empezar tu empresa con muy poco dinero. Las «pequeñas» empresas que aparecen en el siguiente listado empezaron todas con menos de 10.000 dólares:

> Apple Computer
> Mary Kay Cosmetics
> Lillian Vernon
> The Limited
> Dell Computer
> Gateway 2000

Papa John's Pizza
Nantucket Nectars
Ernest and Julio Gallo
Hard Candy
Microsoft

Huelga decir que el dinero no fue la razón de que despegaran, ni la razón por la que alcanzaron un gran éxito. Algunas de estas empresas, como bien saben, se encuentran en la actualidad entre las empresas de *Fortune 500*, pero incluso las que son más pequeñas resultan impresionantes por su creatividad y su éxito. En 2005, en la lista *Forbes 400* (las 400 familias más ricas de Estados Unidos), el 50 por 100 de éstas había empezado con 25.000 dólares o menos en los últimos 20 años; ése es el poder del espíritu emprendedor.
Nuestras respuestas están ahí, las soluciones están esperando a que las encontremos. Sin embargo, nada puede sustituir a una búsqueda a conciencia, sincera, con la clara intención de encontrar tu respuesta.

4.4. Regla n.º 4: No aceptar nunca un no por respuesta

Para intentar mantener a flote Neose Technologies, una de las empresas con las que trabajaba, después de que Goldman Sachs no consiguiera reunir el dinero necesario, intenté ponerme en contacto con instituciones de Filadelfia y de otros lugares.
En ese momento, Steve Roth contactó con nosotros y acordamos representar a Neose. La empresa necesitaba como mínimo 10 millones de dólares. Mi presidente me pidió que reuniera el dinero. «No va a ser tarea fácil», me dijo. En

primer lugar, Goldman Sachs ya había explorado el terreno y había fracasado estrepitosamente. En segundo lugar, necesitábamos reunir el dinero en ocho semanas o la empresa se hundiría.

Diseñé una estrategia que pasaba por conseguir que U.S. Healthcare, la mayor organización de asistencia sanitaria del país, invirtiera en Neose. Me parecía una asociación natural. Los azúcares producidos por Neose estaban destinados a ser utilizados en una gran variedad de aplicaciones médicas, incluyendo vacunas contra el cáncer, lo que debería resultar atractivo para el gigante U.S. Healthcare.

Era consciente de que, habida cuenta del poco tiempo de que disponíamos, tenía que dirigirme directamente a Len Abrahamson, el Presidente de U.S. Healthcare. Enseguida descubrí que eso no iba a ser tan fácil como parecía. Se negó a contestar o a devolver ninguna de las 35 llamadas telefónicas que hice a lo largo de seis semanas. Al final, me derivaron a Sherrill Neff, vicepresidente senior de inversiones estratégicas de U.S. Healthcare. Le dije a la secretaria de Neff que sólo necesitaba 30 segundos de su tiempo. Si al señor Neff no le interesaba lo que iba a proponerle, no volvería a llamar. Enseguida, el señor Neff se puso al teléfono.

—Adelante —dijo, informándome con una única palabra de que tenía literalmente sólo 30 segundos para conseguir mi objetivo.

—Hay una compañía que ustedes comprarán dentro de cinco años o que les comprará a ustedes dentro de diez —le dije—. ¿Puedo seguir?

Una prolongada pausa y a continuación una única palabra:

—Continúe —dijo.

Había captado su atención y tenía la oportunidad de vender Neose, y lo conseguí. Poco después de nuestra conversación, los responsables de ambas empresas se sentaron y U.S. Healthcare decidió invertir 2 millones de dólares. Las relaciones entre Neose y U.S. Healthcare se consolidaron todavía más cuando, un año después, Sherrill Neff decidió ocupar la presidencia de Neose Technologies.

Conseguir la participación de U.S. Healthcare fue un golpe maestro, pero no era suficiente. Seguíamos necesitando 8 millones de dólares, y conseguí la mayor parte de inversores institucionales internacionales y de cuatro personas que aparecen en la lista *Forbes* de multimillonarios. Uno de ellos era el hombre que me encontré en la puerta giratoria, del que he hablado en el capítulo 1. En cualquier caso, en el plazo de ocho semanas, habíamos reunido 12,6 millones y Neose estaba consolidada.

4.5. Regla n.º 5: Ten fe en ti mismo, en tu esfuerzo y en la red de la vida

La vida es como una ola, con altibajos. Lo que denominamos fracaso constituye sólo un punto de la ola, situado en el seno de la misma, el punto más bajo. La energía de esa ola te impulsará hacia arriba, especialmente si estás haciendo todo lo que puedes para tener éxito. A medida que la ola sube, empiezan a ocurrir pequeñas cosas que te impulsan hacia adelante. Muy a menudo estas oportunidades llegan de manera inesperada. He descubierto que si te vuelcas totalmente con tu causa, surge una magia inesperada para ayudarte. Lo que realmente ocurre es que la ola está subiendo y te encuentras cabalgando sobre ella hacia cosas mejores.

Por tanto, siempre que las cosas te vayan mal, date tiempo; apártate del problema. Cuando hayas descansado y te sientas capaz de dedicarte de nuevo a la aventura de tu vida, mantente alerta ante las oportunidades, la magia. La ola subirá y te llevará con ella.

Hace unos años representaba a una empresa que se llamaba Avigen que había desarrollado una terapia genética para diferentes alteraciones genéticas, incluida la hemofilia y la anemia drepanocítica. Básicamente, los científicos de Avigen habían desarrollado un método para hacer llegar de manera segura los medicamentos a los genes, modificando la estructura genética de un virus que está presente en la sangre de prácticamente todo el mundo a la edad de 5 años. Este virus modificado genéticamente actúa, en efecto, como una especie de servicio de limusina para el medicamento que, una vez dentro de la célula, puede reparar los genes dañados que provocan la enfermedad. Los estudios habían demostrado que los productos afines creados por esta empresa también podían utilizarse en el tratamiento del cáncer de próstata. Los científicos estaban absolutamente entusiasmados con estas nuevas herramientas terapéuticas. Lamentablemente, la empresa necesitaba desesperadamente dinero y estaba al borde de la bancarrota.

Creía que podría reunir el dinero en Japón y, junto con el consejero delegado de Avigen, el doctor John Monahan, volé a Tokio para hablar con inversores potenciales, algunos de los cuales ya habían hecho negocios conmigo antes. Cuando llegamos allí, me informaron de que la investigación genética era ilegal en Japón, lo que significaba que los hombres de negocios japoneses no podían invertir en compañías que desarrollaran este tipo de investigación.

Evidentemente, al doctor Monahan y a mí se nos cayó el alma a los pies, especialmente porque parecía claro que la empresa tendría que cerrar, a pesar del enorme beneficio potencial que podía ofrecer a millones de personas.

A la mañana siguiente de que nos informaran de que la investigación genética era ilegal en Japón, el doctor Monahan y yo estábamos sentados en un café, totalmente abatidos y dispuestos a volver a Estados Unidos. Estaba sentado en la mesa, mirando un periódico japonés que examinaba únicamente, me parecía, para distraerme de mi sensación de haber cometido un terrible error. No tenía ni idea de que la red de la vida estaba funcionando en ese mismo momento.

A pesar de que hablo un poco japonés, no soy capaz de leer ni una palabra. Pasando las páginas del periódico, me fijé de repente en una ilustración que me llamó la atención. Era la representación de un virus llevando una molécula a los genes de una célula. Bajo la ilustración aparecía un titular y debajo un extenso artículo. Salté de mi asiento y empecé a preguntar a la gente que había en el restaurante si alguien hablaba inglés. Terminé encontrando a un hombre que hablaba inglés y le pregunté qué decían el titular y el artículo.

Tardó un minuto en estudiar la página y, a continuación, dijo:

—Ayer el Gobierno japonés aprobó la investigación genética. Antes era ilegal, pero ahora los científicos japoneses pueden investigar en este campo.

¡Y los hombres de negocios japoneses invertir en ello!

De repente, el doctor Monahan y yo recuperábamos nuestro negocio. Hice una serie de llamadas esa misma mañana y no tardamos en reunir 10 millones de dólares para Avigen. Un año después, la compañía reunió otros 25 millones, y las acciones de Avigen se dispararon. Cuando empezó su actividad, las acciones de Avigen cotizaban a 8 dólares. Las diferentes crisis financieras hicieron caer las acciones hasta un dólar. Pero cuando conseguimos levantar a la compañía y sus científicos empezaron a demostrar su enfoque con ensayos en seres humanos, las acciones subieron hasta 89 dólares. Huelga decir que muchas personas en Avigen se sentían felices y, lo que es más importante, creemos que dentro de unos años Avigen puede disponer de una potencial cura a largo plazo para la hemofilia, la anemia drepanocítica y otras enfermedades graves. A pesar de que, desde que este libro se publicó por primera vez, en 2002, los ensayos con seres humanos no han tenido éxito y las acciones cayeron de más de 85 dólares a menos de 5 dólares, la ciencia y la investigación han permitido a la humanidad dar un gran paso en el campo de las terapias genéticas como ciencia vital alternativa en el futuro.

Lo cierto es que aunque hagas todo lo que puedes en una operación en particular sigues sin tener el control, en última instancia, de lo que ocurrirá al final. No quiere decir que no debamos hacer todo lo posible, sino que cada operación, cada iniciativa necesita una ayudita de la red de la vida para tener éxito.

A lo largo de tu vida vas a superar muchas cosas; vas a verte liberado de muchos problemas sin hacer ningún esfuerzo especial. Cuando te ocurra, piensa en esas experiencias largo y tendido. Al hacerlo, te darás cuenta de que muchas veces pensaste que un día o una semana en particular iban a ser problemáticos y, sin embargo, llegado ese día, o superada esa semana, los acontecimientos no fueron realmente tan malos como habías previsto. De algún modo, los acontecimientos se produjeron de manera que te sirvieron de apoyo y te ayudaron a superar la dificultad que habías creído que te hundiría. Tuviste ayuda, la red de la vida te estaba ayudando a superar un momento difícil.

Esto es especialmente cierto en relación con el fracaso. Después de prácticamente cualquier caída, nos levantamos; después de un fracaso, llega el éxito. Reflexiona detenidamente sobre estas experiencias, descubre el lado bueno, el amor que hay en la vida. Contesta a la pregunta de Einstein —¿es el universo un lugar acogedor?— con un *sí* rotundo. De este modo, el fracaso será sólo una condición temporal, una oportunidad para aprender. De hecho, es sólo un paso en el camino hacia el éxito.

Anatomía de un negocio

Obtener cien victorias en cien batallas no es el súmmum de la habilidad. El súmmum de la habilidad es dominar al enemigo sin luchar.

SUN TZU

Con frecuencia, la gente cree que las operaciones comerciales se cierran entre grupos de personas que intentan imponerse algo mutuamente. De hecho, en ocasiones es así, especialmente cuando se tiene algo que el otro grupo quiere tan desesperadamente que haría lo que fuera para estafarte. Pero, según mi experiencia, este tipo de negocios nunca funciona. Algo hace que fracasen, especialmente si deseas ser fiel a tus valores. Al final, lo que te salva es tu obstinada adhesión a tus valores y objetivos fundamentales. Pero cuando las cosas van mal y todo aquello por lo que has trabajado está en peligro, la tentación de tratar con la gente equivocada puede resultar irresistible.

A continuación presentaré la anatomía de un negocio, un negocio muy grande e importante que implicaba la creación de una compañía capaz de dar respuesta a enfermedades como la diabetes e incluso el cáncer. El nombre de la compañía es Keryx, y el 23 de julio de 2000, los ejecutivos de Keryx lanzaron su Oferta Pública de Venta, por el precio de 10 dólares la acción. El valor de la compañía superaba los 200 millones de dólares. Dado que la tecnología ofrecida por Keryx tiene tanto potencial, y en consecuencia es tan valiosa, en nuestra travesía nos topamos con algunos tiburones.

Me impliqué a fondo en la creación de Keryx y ayudé a recaudar gran parte del dinero para hacerla despegar. En esencia, Keryx es una nueva compañía de fármacos cuya tecnología principal consiste en la capacidad de influir en cómo las células se comunican entre sí, un proceso denominado *transducción de señal*. Una de las vías que facilitan la comunicación entre las células es un grupo de enzimas denominadas *kinasas*. Secuencias enteras de estas enzimas, o kinasas, hacen de mensajeras entre las células y dentro de las mismas, llevando y trayendo información, algo parecido a lo que haría un correo en el campo de batalla.

Las kinasas están entre las funciones más importantes que realizan las células para mantenerse sanas. Mientras funcionen correctamente, las células se comportan con normalidad, como deben hacerlo. Sin embargo, a veces estas enzimas se alteran, haciendo que las células reciban mensajes erróneos. Cuando se producen situaciones como ésta, las células se comportan de forma inapropiada y en ocasiones dan lugar a enfermedades diversas, incluyendo la diabetes e incluso el cáncer.

Los científicos han trabajado durante años para conseguir influir en estas kinasas. Uno de sus objetivos, por ejemplo, es detener el tipo de mensajes que estimulan a las células para reproducirse incontroladamente, o convertirse en cancerígenas. Al hacerlo, los científicos esperan curar el cáncer y muchas otras enfermedades, incluyendo la diabetes y afecciones coronarias. En el caso de estas últimas, algún día los científicos podrán estimular la creación de un nuevo tejido, incluyendo la formación de nuevos vasos sanguíneos, y de esta forma evitarán la necesidad de implantar un marcapasos. Este proceso, denominado *angiogénesis*, también se puede revertir, lo que sería importante en el tratamiento del cáncer. Los científicos esperan bloquear la formación de vasos sanguíneos de los tumores cancerígenos; esta proeza privaría de sangre y oxígeno a los tumores. Este proceso, denominado *antiangiogénesis*, es uno de los enfoques más apasionantes para la curación del cáncer.

El cáncer, las enfermedades coronarias y la diabetes no son las únicas enfermedades que pueden tratarse de forma efectiva mediante la reparación de las kinasas. Estas enzimas pueden manipularse para estimular la formación de huesos más fuertes, una cicatrización más rápida e incluso el crecimiento de cabello en las personas que padecen calvicie como consecuencia de la quimioterapia.

El doctor Morris Laster se unió a un grupo de científicos que trabajaban en las fases finales del desarrollo de una tecnología tanto para inhibir como para estimular kinasas en las células. Su extraordinaria tecnología estaba siendo posible, en parte, gracias al descubrimiento del genoma humano, o el mapa genético completo, lo que permite a los científicos conocer las secuencias correctas de kinasa, y determinar así la base de la comunicación celular sana. Además de conocer las secuencias correctas de kinasas, estos científicos también descubrieron formas para detener las órdenes inapropiadas, como las que producen cáncer, y reparar las secuencias rotas, como las que producen la diabetes. No es necesario decir que éste constituyó uno de los descubrimientos más excepcionales gracias a la biotecnología en mucho tiempo.

Pero el camino hacia la creación de Keryx no fue fácil. En los negocios, como en el resto de la vida, cuando tienes algo bueno siempre habrá alguien dispuesto a arrebatártelo. Estuvimos a punto de perder Keryx en dos ocasiones.

Keryx fue creada en octubre de 1998, después de muchos meses de arduo trabajo del doctor Morris Laster y del profesor Schmuel Ben-Sasson, un científico israelita inventor de la tecnología que influye en estas secuencias de kinasas. El doctor Ben-Sasson dirigía un equipo de científicos y médicos, todos ellos trabajando en diferentes aspectos del puzzle de la kinasa.

El doctor Laster había dado con el doctor Ben-Sasson y su trabajo de una forma bastante inesperada. Morris, que había trabajado en nuestras oficinas durante los dos años anteriores, fue contratado por nuestra compañía para descubrir nuevas tecnologías en las que pudiéramos invertir para convertirlas en compañías de éxito. Se trasladó a Israel, donde creó su propia compañía con el mismo fin, sin abandonar no obstante su afiliación con nosotros. Uno de sus empleados descubrió el trabajo del doctor Ben-Sasson, que estaba enterrado entre un montón enorme de otros proyectos igual de valiosos. Morris echó un vistazo a las ideas presentadas por el doctor Ben-Sasson y comprendió inmediatamente la importancia de su descubrimiento. Le llamó por teléfono y, tras varios encuentros, ambos decidieron trabajar juntos para crear una nueva compañía que financiara el innovador trabajo de los científicos.

De hecho, Morris ya contaba con un historial de reconocimiento de importantes descubrimientos que otros habían pasado por alto.

1. Keryx: comienza el camino tortuoso

Cuando ya habíamos alcanzado un acuerdo entre la Universidad de Harvard y nuestros socios científicos, incluyendo al doctor Schmuel Ben-Sasson y su equipo, seguimos trabajando para obtener el dinero necesario para crear Keryx. Morris y yo viajamos a Europa y Oriente Medio para buscar bancos inversores. Morris explicaba la tecnología y yo vendía el paquete —un número al estilo de lo que se conoce coloquialmente como «road show» (gira promocional)—. Uno de los primeros inversores que nos buscó de forma entusiasta fue un banco de Inglaterra que prometió darnos los 8 millones de dólares que necesitábamos para crear la compañía.

El banco inglés se prendó de nosotros desde el principio. No resultaba difícil reconocer el enorme potencial médico y financiero de nuestros productos, y los 8 millones que necesitábamos por el 40 por 100 de la compañía era una ganga. Los factores que nos parecían importantes eran el dinero y el hecho de no tener que renunciar al control de nuestra participación en la compañía. Tendríamos el poder de decisión, lo que para nosotros era una parte esencial del trato.

Todos estábamos de acuerdo con los detalles de la operación y el banco prometió invertir los 8 millones de dólares. Sin embargo, antes de hacerlo, querían estudiar el mercado en profundidad para entender todo el potencial de nuestra línea de productos. Asimismo, querían conocer mejor nuestros puntos fuertes y débiles como compañía.

Nuestra debilidad más evidente era, por supuesto, la tesorería. Teníamos ideas brillantes y una serie de productos que posiblemente harían historia, pero no podíamos esperar mucho tiempo por el dinero. Sin una inyección de capital a corto plazo, nos ahogaríamos sin remedio. Éste era nuestro punto vulnerable y los directores del banco inglés se dieron cuenta inmediatamente. Nos repetían que tuviéramos paciencia, que les dejáramos investigar el mercado, entender la línea de productos un poco mejor. En poco tiempo tendríamos los 8 millones en nuestra cuenta.

Prolongaron la situación durante cuatro meses. Cuando supieron que estábamos al borde de la quiebra, nos presentaron una oferta. Podíamos ser absorbidos por una de sus propias compañías más débiles, también con problemas financieros, o podíamos buscar la financiación en otra parte. Dicho de otro modo, nos habían llevado al borde del colapso y después nos habían ofrecido hacerse con el control total como única opción de supervivencia. Planeaban utilizar Keryx para apuntalar una de sus propias compañías en quiebra, a la que aparentemente no merecía la pena salvar por sus propios méritos. Integrando a Keryx en su propia compañía, harían una importante inversión, ya que tendrían una línea de productos que merecería la pena apoyar, y que resultaría muy rentable.

No cabía duda de que nos enfrentábamos a un grave problema. Estábamos contra las cuerdas. Además, tras meses de espera para convertirnos en socios de los banqueros ingleses, estaban ejerciendo una sutil presión para que capituláramos ante sus requerimientos. Una voz interna nos decía que ya trabajábamos con ellos. ¿Por qué no compartíamos su suerte y veíamos lo que se podía salvar de los restos del naufragio? Pero la forma en que nos habían manipulado era difícilmente soportable. Se trataba de gente sin escrúpulos que podían despedazarnos si dejábamos que nos absorbieran.

Les dijimos que no había nada que hacer. No había trato. Los directores del banco estaban seguros de que nos hundiríamos en cuestión de pocos días, en una semana o dos a lo sumo. No fue así.

2. ¿Es un puñal lo que tengo en la espalda?

En Keryx, los directores ejecutivos redujeron al máximo los gastos del Consejo para mantener la compañía a flote. Entre tanto, empecé a llamar a los inversores potenciales de todo el mundo para que se interesaran por la tecnología que estábamos desarrollando. También organicé giras promocionales con los inversores. Morris y yo compartíamos habitación en pequeños hoteles de Europa y Estados Unidos. Estábamos desesperados. De alguna forma, en cuestión de semanas, conseguimos recaudar suficiente capital para mantenernos a flote unos meses más. Y el sol salió de nuevo: un grupo norteamericano de inversión en capital privado *(private equity)* nos ofreció sacarnos de apuros invirtiendo 8 millones de dólares.

Según ellos, todo lo que necesitaban era el tiempo suficiente para sus trámites internos.

Tras inspeccionar nuestro folleto informativo y estudiar la tecnología y el campo en el que nos habíamos introducido, el fondo de inversión en capital privado nos adoraba. Sus gestores vinieron a vernos y nos pidieron insistentemente que firmáramos una carta de intenciones, en la que se explicaba nuestro acuerdo y los detalles de la asociación que estábamos a punto de formar. Era un buen acuerdo, justo lo que habíamos negociado. El único problema era que había una cláusula de «no actuación» en la carta que limitaba la cantidad de dinero que podíamos obtener —y el número de acciones que podíamos vender— mientras el banco hacía su investigación de mercado y tecnología. Es una cláusula bastante común y está pensada para proteger a los posibles inversores de la venta de la compañía mientras hacen trámites y se prepara el acuerdo.

Pero ésta es una lección importante que aprendí tras duros golpes durante las negociaciones de Keryx. Nunca firmes una cláusula de «no actuación» sin que la otra parte arriesgue una cantidad de dinero significativa, por si se arrepiente en el último momento. Ambas partes deben tener algo que perder y algo que ganar. No insistí para que los gestores del fondo de inversión en capital privado pusieran sobre la mesa dinero que podrían perder si se echaban atrás. Fue un error.

Firmamos el acuerdo y, al hacerlo, nos atamos de pies y manos prometiendo que no recaudaríamos ninguna cantidad de capital significativa mientras los gestores del fondo realizaban su investigación del mercado.

Aun así, en general, era un buen negocio. El fondo tenía el dinero y parecía que podíamos hacer negocios con los directivos. Mientras tanto, recaudé una pequeña cantidad de dinero para mantenernos mientras esperábamos que el fondo finalmente depositara los fondos.

Un mes después aún seguíamos esperando. Pasaron tres meses sin que el fondo tomara ninguna decisión. Estaba claro que estaban prolongando la situación, igual que lo había hecho el banco inglés. Entre tanto, nuestros fondos menguaban y nos quedábamos sin capital. Cuatro meses y todavía ningún acuerdo, sólo promesas. Después de seis meses, estábamos en quiebra. Entonces, los gestores del fondo en capital privado vinieron con una nueva oferta: querían toda la compañía por 6 millones de dólares: lo tomábamos o lo dejábamos. De lo contrario, no había trato.

Morris me llamó a las 6 de la tarde con la noticia. A las 7, yo ya estaba llamando por teléfono y organizando *road shows* de nuevo. Nuestro Presidente introdujo nuevos cambios en Keryx para que pudiéramos seguir pendientes de un hilo. El grupo norteamericano de inversión en capital privado pensaba que nos tenía agarrados por el cuello. Esperaban que nos hundiéramos y regresáramos arrastrándonos suplicantes. Al igual que los inversores ingleses, nos subestimaron gravemente. Antes nos hundimos que dejarnos controlar por gente sin escrúpulos.

Sin embargo, la duplicidad de ambos equipos de banqueros se estaba cobrando su peaje. He hecho cantidad de negocios en mis veinte años de carrera, pero éste era especialmente difícil. Teníamos en nuestras manos lo que pensábamos que sería una tecnología histórica, y sin embargo nos sentíamos frustrados y engañados a cada paso. A veces crees que cada uno de tus movimientos está bloqueado por obstáculos, muchos puestos ahí por enemigos. Ésta era una de esas veces.

Morris y yo nos vimos sometidos a un estrés tremendo, y yo, por lo menos, empecé a hundirme. Padecía horribles dolores de cabeza y de espalda que periódicamente me obligaban a guardar cama durante días. De hecho, era posible que tuvieran que operarme de la espalda para eliminar los dolores. Estaba irritable y enojado, lo que, verdaderamente, es inusual en mí. En ocasiones, la ira estallaba, normalmente contra alguien inocente, como mi mujer. Si no me estaba portando mal, estaba pidiendo perdón por mi mal comportamiento. Era terrible. Estaba agotando mis límites físicos y emocionales. Pero aprendí mucho sobre mí mismo y sobre la vida durante ese período. Una de las lecciones que dejó una huella indeleble en mi alma fue que si hay retrasos, normalmente es por una buena razón. Quizá estés tratando de forzar una relación con alguien con quien no deberías asociarte. La verdad es que, hasta cierto punto, lo sabía. Sí, las personas con las que estábamos negociando eran encantadoras y aparentemente corteses, pero nos estaban apuñalando por la espalda. ¿Cómo se puede establecer una asociación a largo plazo con personas de quienes sabes que carecen de principios? Me repito a mí mismo que quizá algo bueno está a punto de pasar. Me repito a mí mismo que el universo es un lugar acogedor. Todo saldrá bien, sigue en la brecha, sé fiel a tus principios y continúa trabajando por lo que crees que está bien.

Apenas nos manteníamos con vida, y no duraríamos mucho a menos que ocurriese algo. Morris y yo volvimos a embarcarnos en el proyecto, desesperados por avanzar. Si no obteníamos una inyección de capital pronto, la compañía estaba acabada.

Y entonces vimos la luz. Se anunció una nueva investigación de un fármaco del que Keryx tenía la licencia que mejoraba espectacularmente la salud de las personas con diabetes. Poco después de la publicación de los datos, se presentó en una concurrida reunión de la Asociación Americana de Diabetes (ADA) y fue recibido con entusiasmo. De repente, una compañía valorada en 20 millones de dólares el año anterior había pasado a tener un valor de 200 millones de dólares.

Ahora contaba con mi creencia en la tecnología de Keryx y con el apoyo científico que demostraba la eficacia de uno de nuestros productos. Éste era el argumento moral en el que basaba mis acciones. Una vez más estaba buscando inversores, pero esta vez iba armado con una prueba muy convincente. Una conversación que mantuve con un adinerado inversor marca la pauta de mi planteamiento. El hombre era titular de una cuenta de nueve dígitos y yo le estaba pidiendo una insignificante inversión de un millón de dólares.

—¿Qué tipo de beneficio voy a obtener por mi dinero? —me preguntó

—No puedo decírselo —le contesté—. Va contra la ley hacer ese tipo de especulaciones. Como mucho puedo mostrarle nuestro plan de negocio, explicarle la tecnología, los datos científicos que apoyan nuestro planteamiento y decirle cuántas acciones de nuestra compañía obtendrá por su dinero. También puedo hablarle sobre el tipo de personas que están trabajando con nosotros.

—Sí, pero puede darme alguna idea del tipo de beneficios que obtendré —insistió—. Usted debe saber qué tipo de beneficio espera en los próximos años.

—Permítame preguntarle algo —le dije—. Si usted gana cinco veces el valor de su inversión, ¿cambiaría en algo su estilo de vida?

—No —admitió el hombre—. Pero ésa no es la cuestión. No tengo por costumbre tirar el dinero.

—¿Qué pasaría si multiplica su dinero por diez? ¿Cambiaría en algo su estilo de vida?

—No —dijo—. Pero...

—¿Qué pasaría si pierde toda su inversión? —le pregunté—. ¿Afectaría eso a su estilo de vida?

—No.

—Bien. Pues su dinero nos acerca a una cura para la diabetes y el cáncer. ¿Afectará eso a su vida y a la de sus hijos? —le pregunté.

—Sí —admitió.

—Vale. Ése es el escenario del peor de los casos —le dije—. En el peor de los casos, le voy a dar un beneficio importante por su inversión.

Con esto invirtió el millón de dólares.

Dos meses después, el gran grupo de fondo de inversión privado intentó la fusión, teníamos nuestros 8 millones de dólares y Keryx estaba viva y coleando.

3. Más problemas, otra escapatoria

Llegados a este punto, pensamos que nos habíamos librado, pero aún teníamos que sacar la compañía a bolsa. Para ello necesitábamos un suscriptor que invirtiera el capital necesario para hacer una oferta pública, u OPV, y un mercado lo suficientemente estable en el que las acciones biotécnicas parecieran una buena inversión. Ambos factores resultaron ser más difíciles de lo que esperábamos.

En la primavera de 2000 parecía que todo el mundo iba a lanzar una OPV. Ni siquiera pudimos conseguir que ninguno de los grandes suscriptores se reuniera con nosotros, y mucho menos que invirtieran en nosotros. Tras muchas negativas, finalmente conseguimos a Juliet Thompson, ejecutiva senior del West LB Bank, uno de los bancos de inversión más importantes de Europa. El West LB Bank se ofreció a sacarnos a bolsa ese verano. Aún quedaba mucho trabajo por hacer. La señora Thompson debía comprender la tecnología que aplicábamos y reunir unos 40 millones de dólares para que pudiéramos cotizar en el NASDAQ y en los mercados de valores AIM. Roth Capital de California era el principal suscriptor en Estados Unidos con las banqueras Lisa Walters y Jennifer Dore negociando con Juliet. La doctora Fariba Ghodsian, analista biotecnológica de Roth —a quien conocía desde hacía una década y a quien había presentado Avigen cuando las acciones sólo costaban 7 dólares—, creía en el doctor Laster y en la tecnología de Keryx. Juntas ayudaron a que Keryx se convirtiera en la primera compañía que saliera a bolsa simultáneamente en los mercados NASDAQ y AIM.

Entre tanto, en marzo de 2000 el mercado se hundió y el índice biotecnológico cayó por los suelos, de 800 a 450. Era imposible encontrar a un suscriptor que nos sacara a bolsa si el mercado iba mal. Un mercado bajista asustaría a los inversores, especialmente a la hora de invertir en acciones de empresas de biotecnología, lo que hundiría nuestra OPV. Básicamente, el banco no arriesgaría su dinero sacándonos a bolsa si pensaba que el mercado no respondería positivamente a nuestra oferta.

Le dije a Juliet que no se preocupara. Le anticipé que en seis semanas, el índice biotecnológico subiría a 525, lo que sería la primera señal de que podríamos lanzar nuestra compañía en verano. Para entonces, el índice subiría hasta 640.

—Si eso ocurre, Peter, podemos hacerlo —dijo Juliet.

En seis semanas, el índice alcanzó 580,55 puntos por encima de mi predicción. En verano, el índice alcanzó 700,50 puntos por encima de lo que yo había dicho. La gente pensaba que yo tenía una bola de cristal. No podían imaginar que había estado rezando todo el tiempo para que el mercado no bajara y la gente se mantuviera animada y avanzando.

En realidad, no se trataba sólo de rezar, sino de entender que la Agencia Estadounidense del Medicamento (FDA) estaba considerando 40 nuevos fármacos y estaba preparada para emitir evaluaciones de la mayoría durante la primavera y el verano. Pensaba que si algunos resultaban valiosos, los valores farmacéuticos y biotécnicos registrarían una subida. Todo lo que necesitábamos era que la FDA siguiera con estos fármacos y el índice subiría. Keryx subiría también. Finalmente, la FDA aprobó varios de estos fármacos, el índice recibió un impulso y Keryx realizó su oferta inicial el 23 de julio de 2000.

En el año 2008, el fármaco estrella de Keryx fracasó en los ensayos de Fase III. Como ocurre con el resto de la ciencia, no podremos saber finalmente si los fármacos tienen éxito o no; de hecho, menos de un 5 por 100 de todos los fármacos en la Fase I de los ensayos clínicos obtienen la aprobación, pero cada fallo nos acerca, al igual que los 2.000 fallos o pasos de Thomas Edison para lograr el filamento adecuado para la bombilla eléctrica.

Cuando creamos Keryx, un socio nuestro, el doctor Fred Mermelstein, encontró compuestos potenciales para el tratamiento del dolor agudo, y Javelin Pharmaceuticals fue creada entonces. Enfermos de cáncer, diabetes, cirugía ortopédica, experimentan en muchísimos casos, episodios del dolor agu-

do, que los fármacos actuales no pueden tratar. Hemos esperado casi 10 años y estamos comercializando el producto en
Europa y muy cerca de hacerlo en Estados Unidos, al final
de todo; el objetivo, como decía, es mejorar un poco la sociedad que nuestros padres nos dejan.

5 | Cómo obtener la respuesta que deseas

*Un pesimista ve la dificultad en cada oportunidad;
un optimista ve la oportunidad en cada dificultad.*

WINSTON CHURCHILL

Cuando se trata de ventas o negociaciones, la palabra
«no» pocas veces, por no decir nunca, significa «no». Normalmente, significa que empezamos a conocernos.

En la década de los ochenta era necesario realizar como
media cien visitas de negocios para conseguir un solo inversor. Eran muchos los rechazos antes de cerrar un negocio.
Hasta las personas con más éxito siguen experimentando el
rechazo en su camino hacia un mayor éxito. Mis dos mentores, Ed O'Connor, ahora vicepresidente y gestor de carteras
en Salomon Smith Barney, y Gary Cohen, director de ventas
nacional de Fidelity, me enseñaron que la negativa es un paso
esencial en el camino hacia el éxito.

Hoy, cuando deseo algo fervientemente, no permito que
ninguna negativa me disuada. He visto demasiado para no
darme cuenta de que el camino de cada empresa con éxito
está plagado de «noes».

Mi propio pasado es una historia de superación de la palabra «no», como estoy seguro de que también lo es la suya,
o lo será, dependiendo de lo lejos que se encuentre en su
carrera. Cuando me gradué en la universidad, mi primer trabajo en Wall Street fue con E. F. Hutton. Trabajaba como
corredor de bolsa, con un horario de 7:30 de la mañana a

9 de la noche. Durante todo el día vendía acciones, bonos, valores hipotecarios y fondos de inversión. Cuando piensas en los corredores de bolsa te los imaginas hablando por teléfono todo el rato, pero yo intentaba vender las acciones yendo de puerta en puerta. Era joven y no tenía ni idea de lo que hacía. Tenía fuerzas y un gran deseo de triunfar, y eso es cuanto tenía cuando empecé en este negocio. Me pasaba gran parte del día escuchando la palabra «no».

Al cabo de tres años como corredor de bolsa, me dediqué profesionalmente al capital riesgo y en los dos años siguientes no vendí prácticamente nada. Mi trabajo era entonces el mismo que ahora: recaudar fondos para compañías de biotecnología que investigan la curación de muchas de las enfermedades más peligrosas a nivel mundial. Las compañías a las que intento ayudar necesitan dinero para empezar su trabajo o para crecer, o a veces incluso para mantenerse en pie.

He recorrido el mundo entero intentando recaudar fondos para estas empresas, pero en los primeros días de mi carrera no tenía mucho éxito. «No» y «adiós, señor Kash» eran las palabras que escuchaba con más frecuencia en mis comienzos.

Claro está, había muchas variaciones de la palabra «no», pero todas querían decir lo mismo. En una ocasión llegué a una capital europea para reunirme con unos banqueros que habían prometido invertir en una compañía que yo representaba, sólo para oír —después de llegar— que ya no estaban interesados, pero que tenían un proyecto para el que querían que yo recaudase dinero. Me dijeron que necesitaban 10 millones de dólares y querían que yo fuera su contacto con el mercado norteamericano. Mi respuesta, por supuesto, fue «no».

En el sector del capital riesgo, este tipo de treta se denomina *«venta con señuelo»*. Una compañía te atrae con la pretensión de que están interesados en invertir contigo. Cuando te reúnes con ellos, ya no quieren hablar del negocio, pero tienen una oferta para la que podrías considerar recaudar fondos. Es pura duplicidad exasperante, como pueden imaginar. Los jóvenes profesionales del capital riesgo son con frecuencia demasiado inexpertos (por no decir ingenuos) para darse cuenta a tiempo de cuándo les están enredando en una situación de «venta con señuelo», —es decir, hasta que se reúnen con sus posibles clientes y se dan cuenta de que ya están enredados.

Esto me ocurrió varias veces cuando aún no sabía dónde pisaba, por decirlo de algún modo. Una vez volé a Denton, Texas, en mitad de un huracán —el vuelo fue tan turbulento que pensé que era el último—, sólo para que me informaran de que mis posibles coinversores ya no estaban interesados en la compañía que yo representaba. Sin embargo, resultó que tenían una compañía para la que querían que recaudase fondos. Me dijeron que uno de los inversores en esta compañía era Ross Perot, una muy buena referencia con la que trabajar, especialmente cuando estás intentando recaudar mucho dinero. No, gracias, les dije. Salí de la reunión frustrado, enfadado y desanimado. Después descubrí que su charlatanería eran castillos en el aire, pues no había tal compañía, sólo la intención de crear una, y no había nadie respaldándoles, ni siquiera el señor Perot. Las semanas siguientes a la reunión me comía los puños de rabia. ¿Cómo había sido tan estúpido de dejarme enredar por esa gente?

En otra ocasión volé a Denver durante una tormenta de nieve. Cuando llegué al lugar propuesto para la reunión, un restaurante bastante alejado de la ciudad, no había nadie. El lugar se encontraba vacío a excepción del camarero, que estaba a punto de cerrar. Había alquilado un coche destartalado en un Rent-a-Wreck, que no es lo más recomendable si vas a conducir en una tormenta de nieve. Pero quería ahorrarle dinero a la compañía para la que trabajaba en ese momento.

No podíamos permitirnos el lujo de alquilar un coche en Hertz. Esperé durante una hora, deseando que mis posibles clientes finalmente aparecieran. No fue así. Esto me pasó al principio de mi carrera y cometí la torpeza de no haberles pedido su número de teléfono para contactar con ellos en caso de emergencia. En definitiva, me di cuenta de que había perdido cuatro horas en el vuelo a Denver, dos horas en trasladarme hasta el restaurante y todo el tiempo que tardaría en regresar a casa de nuevo.

Fuera del restaurante, el viento soplaba ráfagas de nieve descomunales contra mi cara y el coche. Tenía un primo que vivía en las afueras de Golden con quien había quedado en verme después de la reunión. Tomé la autopista y me dirigí a casa de mi primo, conduciendo a través de la nieve. Poco después estaba perdido en una carretera de dos direcciones en las Montañas Rocosas y el coche empezó a renquear hasta que se detuvo. Me bajé y miré alrededor. Si existe una versión gélida del infierno, debía de ser ésa. Desierta, solitaria y desolada. No se veía nada salvo la nieve que se precipitaba contra los faros. Caminé hasta el borde de la carretera y vi un letrero que decía "Bienvenido a la tumba de Buffalo Bill". Me pregunté qué hacía yo allí. Me di cuenta de que si las cosas no se arreglaban pronto podría enterrar allí mismo mi carrera junto a Bill. Finalmente, logré arrancar el coche, lo que interpreté como una señal divina. Mi carrera no estaba muerta, me dije, sólo estancada.

Estas experiencias son grandes maestras. Hoy, por supuesto, no voy a ninguna parte sin antes hacer investigaciones sobre mi posible cliente, lo que significa que investigo en profundidad a la compañía y a las partes implicadas. En la medida de lo posible, me entero de si las partes disponen del capital que dicen tener y de si son sinceras. También determino si los inversores y la compañía con la que voy a trabajar encajan bien. No me desplazo hasta que he establecido las bases para el éxito. Tampoco permito que mis socios viajen sin haber hecho primero el mismo trabajo. No obstante, tardé mucho tiempo en aprender cómo hacer este trabajo de investigación. El entusiasmo juvenil puede costarte tiempo y dinero. Pero en mis primeros años todavía no había aprendido estas lecciones. Todavía tenía que enfrentarme a muchos «noes».

Durante los dos primeros años de mi carrera en el capital riesgo viajé en numerosas ocasiones a Japón y no cerré ni un solo negocio. Los japoneses tienen una forma maravillosa de decir «sí» cuando quieren decir «no». Todo está en la inflexión. Dicen «sí, sí, sí», normalmente con una sonrisita, pero no tardas mucho en darte cuenta de que realmente están diciendo «no, no, no» lo más educadamente posible. Lo sabes cuando dicen: «Sí, hacemos un trato». He aprendido que cuando los hombres de negocios japoneses te dicen eso, su palabra equivale a un juramento. Los japoneses son los hombres de negocios más leales del mundo. Seguirán a tu lado aunque las cosas vayan extremadamente mal. Literalmente se convierten en tus inversores para toda la vida y, si tienes mucha suerte, tan cercanos como miembros de tu propia familia.

1. Primero aprende a enfrentarte al rechazo

No se puede tener éxito en los negocios sin aprender primero a enfrentarse y superar cualquier sentimiento personal hacia el rechazo. A estas alturas, me he vuelto prácticamente insensible a los sentimientos de rechazo personal, en gran parte porque he sido rechazado muchas veces en mi vida profesional. Sólo hay dos formas de superar un sentimiento personal de fracaso después de ser rechazado. Éstas son:

1. Experimenta muchos rechazos. Te hace más fuerte.
2. Aprende, crece y evoluciona gracias al rechazo. Por evolucionar me refiero a que debes mejorar tus ideas, presencia y carácter personal si quieres triunfar.

Lo primero que debes saber sobre los negocios es que el rechazo es un distintivo de honor. No vas a ninguna parte sin arriesgarte, exponiéndote a ti mismo y a tus ideas a la crítica, y experimentando en ocasiones el rechazo. Esto requiere coraje. Quienes tienen ideas deben desarrollar su capacidad para presentarlas de forma efectiva y eventualmente llevar a otros al éxito. Sin embargo, esa capacidad no surge de la noche a la mañana. Requiere tiempo, experiencia y madurez. Para los que desean transitar por ese camino, también significará experimentar muchos «noes» en el trayecto. Matemáticamente, dos negaciones hacen una afirmación. Si alguien te rechaza o te dice que no, dale las gracias a esa persona, ya que te está acercando a alguien que te dirá que sí, permitiéndote alcanzar tu destino, ya sea un trabajo o la persona de tu vida.

Cuando has sido rechazado, tienes una opción: puedes esconderte en el anonimato y unirte al rebaño, o puedes continuar arriesgando. Si sigues arriesgándote, volverás a ser rechazado en ocasiones, aunque si creces basándote en la experiencia de estos rechazos, cada vez serán menos. Aun así, la gente te dirá «no», con independencia de lo lejos que llegues en tu carrera. Sin embargo, en el proceso de recibir un «no», algo paradójico empieza a producirse: te fortaleces con la experiencia. Creo que esto ocurre en la parte primitiva de tu ser, pero empiezas a darte cuenta de que recibir un «no» no es algo tan terrible. De hecho, el significado de que te digan «no» empieza a ser cada vez menor. Deja de tener el mismo impacto en ti.

Uno de los grandes errores que puedes cometer cuando te dicen «no» es dejar de creer en ti mismo. No pienses ni por un momento que aquellos que te rechazan te conocen mejor de lo que tú te conoces. Al principio de mi carrera, me rechazaron muchas veces cuando me presentaba a entrevistas de trabajo. Después de un determinado número de rechazos, empecé a ver que la mayoría de los entrevistadores ni siquiera se preocupaban por conocerme. Buscaban un tipo en concreto y decidían pronto en la entrevista que yo no era ese tipo. En una de ellas me di cuenta al principio de la reunión de que el equipo de entrevistadores no iba a contratarme. En lugar de sentirme rechazado, o intentar ganármelos, decidí que iba a ser más yo mismo. Uno de los entrevistadores me preguntó cuántas horas trabajaba al día. Le dije que de 7:30 de la mañana a 9 de la noche. Entonces me preguntó con incredulidad: —¿Cuándo come?

Al principio me pregunté «¿qué tipo de pregunta es ésa?», pero contesté:

—Entre las 4:30 y las 6.

—Eso no tiene sentido —me dijo uno de los socios senior—. ¿Por qué sale de trabajar a las 4:30 para comer?

—Si no entiende por qué, obviamente no soy la persona adecuada para el trabajo —dije, y empecé a levantarme de la silla.

El más joven de los entrevistadores me detuvo y me preguntó:

—Solo por curiosidad, ¿por qué a las 4:30?

—Es cuando ponen mi serie favorita —contesté—. Es mi hora de relax.

Todos estallaron en una carcajada —sabían que estaba bromeando— y me ofrecieron el trabajo de inmediato. De lo que no se dieron cuenta durante la entrevista era de que yo les estaba entrevistando a ellos al mismo tiempo. No me habían impresionado lo suficiente, así que decliné su oferta.

Los japoneses tienen un concepto que denominan *hara*, que significa centro vital. Todas las artes marciales se realizan desde ese centro vital, o centro de gravedad, que es el punto justo debajo del ombligo donde el cuerpo físico puede lograr el equilibrio y la estabilidad. Sin embargo, el *hara* es más que un lugar físico. Es la combinación de estabilidad física, mental y emocional. El *hara* también es responsable de mantener la fortaleza de la voluntad y la capacidad para cumplir las ambiciones. Los japoneses consideran el *hara* como un segundo cerebro en el cuerpo, que controla los instintos y la capacidad para reaccionar ante los desafíos. A medida que experimentas la vida y te desarrollas, tu centro de gravedad se hace cada vez más fuerte y más poderoso. Es más difícil que la gente o las situaciones te desequilibren. De hecho, su «no» ya no puede desviarte de tu objetivo. En el proceso te vuelves más fuerte, más centrado y equilibrado. Te sientes como si ocuparas más espacio en el mundo.

Una de las claves para fortalecer el *hara* es crecer a partir de las experiencias de rechazo. Eso significa desarrollar tus talentos y refinar tus capacidades, presencia y expresión personal. Ser mejor y más fuerte en lo que haces.

No puedes crecer a partir de la experiencia de recibir un «no» si te enfrentas a ello exclusivamente en tu cabeza, por decirlo de algún modo. Dicho de otro modo, no puedes aprender a pensar de otra forma pretendiendo sentirte cómodo con la palabra «no». No ocurrirá. La gente que cree que puede cambiar sus patrones de pensamiento sin cambiar su comportamiento está condenada a toda una vida de rechazo. Tienes que cambiar tu forma de hacer negocios. En otras palabras, el «no» que escuchas tiene que convertirse en un incentivo para crecer y evolucionar.

Cuando te dicen «no» habitualmente, no puedes escapar al hecho de que la gente no te está respondiendo de la forma que te gustaría. Debes reflexionar sobre por qué están reaccionando de esa forma y después cambiar tu comportamiento. En consecuencia, el primer paso en tu evolución debe ser determinar por qué la gente te dice que no.

Una de las cosas que hago ahora para aumentar mis posibilidades de éxito es ofrecer un negocio nuevo en primer lugar a las personas que sé que me dirán que no. Estas personas harán un montón de preguntas difíciles; también dejarán al descubierto muchos puntos débiles del negocio. Quiero conocer esos puntos débiles y enfrentarme a esas preguntas difíciles. En cierto sentido, la gente que me dice «no» me está facilitando la prueba. Me están dando la oportunidad de practicar mi verborrea y enfrentarme a mis debilidades, antes de negociar con las personas a las que quiero vender la operación.

Aquellos que estén empezando sus carreras deberían hacer algo similar: deberían presentarse a todas las entrevistas que puedan, sólo para saber lo que hay que hacer en esas condiciones y practicar respondiendo a preguntas difíciles a las que van a tener que enfrentarse.

2. Entender por qué la gente dice sí o no

Una de las cosas que todos deberíamos entender es por qué la gente dice «no». Creo que la primera y principal razón de que la gente diga «no» es por miedo. Existen varios motivos para que la gente tenga miedo. Nuestro trabajo como vendedores es descubrir por qué las personas dicen «no».

3. Primero, sé digno de su confianza

El primer miedo que experimentan muchos clientes potenciales es miedo de ti. La gente desconfía especialmente de aquellos que se muestran agresivos o demasiado ansiosos por hacer un negocio. Cuanto más rápido se mueve un vendedor para que hagas una compra o una inversión —en particular en las primeras fases de la relación—, más parece que sólo le preocupa tu dinero. La mayoría de nosotros no confiamos en quienes se preocupan únicamente por el dinero. Tememos que cuando el vendedor lo consiga nos abandone, especialmente si algo va mal con el producto que acabamos de comprar.

También nos preocupa que puedan estafarnos. Si lo piensas, te das cuenta de que cuanto más superficial sea la relación con un vendedor, mayor será el temor a ser estafado. En realidad, en la mayoría de los casos, quienes venden un mal producto, o estafan a otros, evitan las relaciones profundas y los compromisos personales.

Por supuesto, eso significa que tienes que desarrollar una relación con tus clientes que vaya más allá de los negocios. Una de las lecciones que he aprendido con los años es a no reunirme con mi cliente potencial ni hacer ningún negocio el mismo día que llego a una ciudad, especialmente si es en un país extranjero. Voy a museos o a los últimos espectáculos que ofrezca la ciudad. Intento conocer a la gente, el carácter de la ciudad y tomo el pulso de la economía. Hago esto para poder hablar con mi cliente potencial de otras cosas que no sean negocios. Me permite empezar la conversación sobre una base más humana. Me da la oportunidad de conocer a la persona con quien voy a hacer negocios. En la misma medida en que intento conocerle me doy a conocer. No soy sólo un hombre que intente hacer negocios. Tengo una esposa y tres hijos y todos los problemas derivados de la vida familiar. Tengo mis aficiones y algunos pasatiempos con los que disfruto. Me preocupa mucho lo que pasa en el mundo y soy un apasionado de los deportes. Como sabemos, todos llevamos nuestra vida a las relaciones comerciales. También podría reconocer mi otra vida, y la de mi cliente. En realidad, creo que la mayoría de las personas con las que hago negocios desean sentir que me conocen, en la misma medida en que quieren que se les conozca.

También creo que la gente ve tu otra vida, aunque trates de esconderla. Si eres una persona honesta e íntegra, la gente lo ve y lo siente. No tienes que decir ni una palabra al respecto. La gente se da cuenta de quién eres. Es cierto, pueden equivocarse, del mismo modo que tú puedes equivocarte respecto a ellos. Por eso dejas que la otra persona te conozca, al igual que tú quieres conocerlos a ellos. Pronto, la información que cada uno tiene del otro, así como los sentimientos intuitivos, se combinan para decirte si podrás hacer negocios con esa persona.

Otra perspectiva importante, especialmente para un nuevo cliente, es intentar evitar hacer negocios en tu primera reunión o visita. Me doy cuenta de que a veces la gente quiere ir al grano inmediatamente. De hecho, éstas son las visitas fáciles. Sin embargo, si estás estableciendo una nueva relación con un cliente, intenta evitar venderle algo en la primera visita. En su lugar, emplea el tiempo para conocer mejor a la persona, su empresa y necesidades específicas. Deja que se sienta lo suficientemente cómodo contigo para que pueda hacerte todas esas preguntas que tiene en mente. Siempre es mejor que la persona te compre en lugar de que tú le vendas.

He hecho esto durante las dos décadas que llevo dedicado a los negocios. Naturalmente, muchos de mis clientes con los que sigo trabajando se han hecho amigos míos. Muchas personas evitan hacer amistad con sus clientes; quieren mantener una distancia profesional con las personas con quienes hacen negocios. Entiendo esta práctica y la respeto. Sin embargo, no la comparto por varios motivos. En primer lugar, mis clientes normalmente se quedan conmigo durante años.

En segundo lugar, me preocupo por ellos y por sus inversiones. Y en tercer lugar, trabajo mejor para ellos si entiendo sus necesidades personales. No me malinterpreten: no fuerzo una relación más allá de sus límites naturales. No sería correcto. Pero quiero conocer a mis clientes como personas. Para mí es natural que algunos de ellos acaben convirtiéndose en amigos míos, gente a la que guardo fidelidad.

Una de las razones por las que he podido mantener estas relaciones es porque he intentado mantener mi propia integridad. Con lo que digo intento manifestar lo que sé que es verdad, y procuro hacer lo que digo que haré. Es cierto, en muchas ocasiones simplemente no puedes hacer lo que esperabas en el margen de tiempo que habías previsto, y aun así debes hacer todo lo posible por cumplir tus promesas, aunque lleve un poco más de tiempo. Por encima de todo, la gente valora la sinceridad, que es la cualidad que desarrollas cuando te comprometes honesta y totalmente en cualquier tarea. La gente sabe cuándo estás haciendo todo lo que puedes, y también sabe cuándo no lo haces.

Una de las mejores formas de demostrar la sinceridad es llamar a tus clientes inmediatamente cuando las cosas van mal. No permitas que descubran por sí mismos que una inversión ha fracasado. Llámales y coméntales lo que piensas, las estrategias que pueden aplicarse, y aconséjales sobre lo que deben hacer en ese momento y a largo plazo.

La gente desea confiar en ti. Para ello, deben sentir que primero les consideras y entiendes como personas. Tu cliente potencial desea saber que les vas a tener en cuenta cuando hagas negocios con ellos. Quieren que se les reconozca como algo más que una potencial fuente de ingresos. En un sentido muy real, quieren saber que te preocupas por ellos.

En una ocasión intenté que un hombre rico invirtiera en un negocio que yo representaba.

—Consideraré invertir con usted si usted invierte también, señor Kash.

—¿Por qué? —le pregunté.

—Porque si pierdo mi dinero, quiero que usted comparta mi fracaso —me respondió.

Fue una buena respuesta, que me enseñó mucho sobre lo que la gente espera de un vendedor, especialmente alguien que le estaba pidiendo mucho dinero. En la mayoría de los casos, la gente quiere saber que tú también has invertido, o que arriesgas algo en el negocio que intentas venderles, porque eso les indica lo mucho que crees en tu producto.

Neil Flanzraich era ejecutivo senior de Syntex Corporation. Uno de los hijos de un amigo íntimo y colega era muy emprendedor. Estaba muy interesado en convertirse en chef, y Neil le dijo que si alguna vez quería abrir un restaurante recurriera a él. Varios años después de graduarse en la escuela de cocina, el hijo de su amigo le llamó para preguntarle si mantenía su promesa de ayudarle. Neil le dijo que por supuesto. Abrieron un restaurante y terminaron regentando quince restaurantes de comida rápida mexicana de alto nivel, cuando la red de la vida literalmente aterrizó en sus vidas. Un «ojeador» de McDonald's estaba comiendo en uno de sus restaurantes y, según dicen, llamó al presidente de McDonald's que estaba volando con varios vicepresidentes en el avión privado de la compañía cerca de Denver. Aterrizaron inmediatamente en esta ciudad y se quedaron tan impresionados por la comida y el ambiente que adquirieron una participación mayoritaria en la cadena. En la actualidad, con 600 locales en todo el país, Chipotle Mexican Grill factura cerca de 1.000 millones de dólares y se ha convertido en una de las IPO del sector de la restauración de más éxito de la historia del mercado de valores de Nueva York. Mantener la palabra dada tiene su recompensa.

4. Segundo, ten conocimientos suficientes

El segundo miedo de la gente respecto a ti es percibir que no eres lo suficientemente competente en tu trabajo. Es el beso de la muerte.

Puedes ser agradable, pero nada sustituye la competencia, el conocimiento y la aptitud. Nadie invertirá su dinero en tu producto, o en tu ambición, si creen que sólo tienes un conocimiento superficial de tu trabajo y área de experiencia. No hay motivos para la confianza y la gente se alejará de ti.

Curiosamente, la mayoría soportaríamos una personalidad difícil si sabemos que estamos tratando con alguien muy competente experto en su ámbito. Cuando nos dan a elegir, siempre nos quedamos con el conocimiento antes que con el encanto. ¿Por qué? Porque el encanto se evapora y el conocimiento perdura.

Ser un experto en tu ámbito consiste en parte en comprender las necesidades y características de las personas que integran tu mercado. No sabría decir la cantidad de errores garrafales que comete la gente que conoce su producto, pero no entiende a las personas a las que está vendiendo el producto.

Hay un viejo chiste sobre el joven dedicado al capital riesgo que se fue a Alemania para conseguir inversiones y cuando volvió le dijo a su jefe que había recaudado 27 millones de dólares de tres bancos diferentes. Su jefe estaba tan complacido como admirado.

—¿Cómo lo hiciste? —le pregunta el jefe al joven ejecutivo.

—Bueno, fui a tres bancos alemanes diferentes y cuando les pregunté cuánto querían invertir, los tres me dijeron lo mismo «nine, nine, nine»[1].

---

[1] NT: «nein» significa «no» en alemán y se pronuncia igual que «nine», «nueve» en inglés.

El chiste tiene gracia porque la gente no se cree que alguien pueda cometer un error tan estúpido, pero muchas empresas han cometido errores incluso peores cuando trataban de hacer negocios en otros países.

Cuando Chevrolet intentó comercializar su modelo Nova en España, el coche fracasó estrepitosamente. Sólo después de haber perdido millones se dieron cuenta de que Nova se parece mucho a la expresión española «no va», es decir, «no funciona».

Un fabricante de perfumes norteamericano intentó comercializar una fragancia en Alemania con el nombre «Mist»[2]. La palabra significa «estiércol» en alemán.

Ronald McDonald fracasó rotundamente como símbolo de marketing en Japón porque la cara blanca significa la muerte para los japoneses.

Coca-Cola intentó vender Coke en botellas de 2 litros en España, sin darse cuenta hasta mucho después de que poca gente tenía neveras lo suficientemente grandes como para guardar botellas de 2 litros. Huelga decir que nadie las compraba.

Las Kellogg Pop Tarts fracasaron en Gran Bretaña porque, en aquel momento, pocos hogares tenían tostadores.

General Mills perdió millones cuando intentó vender masa para hacer pasteles en Japón, donde sólo aproximadamente el 3 por 100 de la población tenía horno.

Muchos eslóganes de compañías se han traducido incorrectamente con resultados desastrosos. El eslogan de Pepsi «Siéntete vivo con la Generación Pepsi» se tradujo como «Pepsi revive a tus ancestros» en China, algo muy ofensivo en un país donde los antepasados son venerados e incluso se les rinde culto.

---

[2] NT: «Mist» significa «niebla» en inglés.

En inglés, el eslogan de los pollos Frank Perdue dice: «Se necesita un hombre fuerte para lograr un pollo tierno», que fue traducido al español como «Se necesita un hombre duro para enternecer un pollo».

Cuando Plumas Parker anunció sus plumas en México querían que el anuncio dijera: «No perderá en tu bolsillo ni te avergonzará». La traducción, desafortunadamente, decía: «No perderá en tu bolsillo ni te embarazará».

Algunas veces, hay muy buenos motivos para decir «no».

5. Tercero, acepta y sé dueño de tu éxito

En una ocasión, intentaba conseguir que Irving Kahn, un miembro de Forbes 400 pionero de la tecnología que facilitaba las cotizaciones de la bolsa a Wall Street en tiempo real, invirtiera en una compañía en la que yo creía profundamente. Me sorprendió bastante su pregunta:

—Señor Kash, ¿cuánto dinero tiene en el banco ahora mismo?

Sin dudarlo, le dije:

—No tengo mucho dinero, pero usted sólo podrá apreciar cuánto dinero tengo y cuánto éxito he logrado si también sabe lo lejos que he llegado.

—Tiene razón —me contestó el señor Kahn—. Pero debe entender que yo sólo quiero invertir con gente que también haya ganado dinero. ¿Cómo va alguien a hacer que yo gane dinero si no lo ha hecho para sí mismo?

En realidad, el señor Kahn no quería saber cuánto dinero tenía yo. Lo que quería era salirse con la suya. A pesar de lo grosera que resultaba la pregunta, me di cuenta de que había dado en el clavo. ¿Por qué iba a querer invertir conmigo si yo mismo no había tenido éxito?

Cuando se trata de comprar un producto o de invertir en una empresa, la gente quiere asociarse con el éxito. Eso significa que tienen que creer en ti como persona que ha triunfado. Eso no significa que tengas que ser rico, o vivir en una casa por encima de tus posibilidades, o llevar trajes de un precio desorbitado. Todos estos símbolos pueden ser una fachada falsa, una mentira, que finalmente contribuirán a tu fracaso. Lo que tienes que comunicar a la gente es que tienes las cualidades que constituyen la base del éxito, —es decir, fiabilidad, integridad, conocimiento y aptitudes.

Quien responde a estas características es una persona con éxito. El dinero que tenga en el banco aumentará, porque antes o después sus logros aumentarán y los beneficios financieros crecerán con ellos.

Por otra parte, si no se poseen estas características, mejor quedarse con lo que se tiene, porque son infinitas las posibilidades de cometer errores y el dinero no durará.

Los grandes sabios del pasado preguntaban a sus alumnos «¿Quién es rico?» Ellos daban todas las contestaciones de rutina: «El que tiene mucho dinero». «Quien tiene un nombre importante». «Quien tiene una gran familia».

«No —decía el sabio—. Es rico aquel que es feliz con lo que tiene.»

Sin embargo, esto no se puede conseguir mediante argucias mentales. El comportamiento debe evolucionar, decían los sabios en otros tiempos.

«¿Quién es sabio?», preguntaba el sabio. Tras las contestaciones de rutina, el sabio contestaba: «Aquel cuyos actos superan a sus palabras. Sin embargo, si su sabiduría supera a sus actos, sus actos no perdurarían y sus palabras no significarán nada».

6. Cuarto, confía en la red de la vida

Aunque al principio de mi carrera era habitual obtener un no por respuesta, nunca dejé de confiar en que las cosas irían mejor. Creía que, de alguna forma, tendría un respiro. A menudo los respiros se producen de una extraña forma.

La noche de mi compromiso estaba paseando por Lexington Avenue cerca de la Gran Estación Central de Nueva York cuando vi a dos japoneses descifrando un mapa de la ciudad. Me acerqué a ellos y les pregunté si necesitaban ayuda. No hablaban mucho inglés. Yo había estudiado un año de japonés y creía que podía comunicar ideas muy simples. Les pregunté adónde querían ir. Me dieron la dirección de un restaurante americano especializado en carnes. Les pregunté si no preferirían comer en un buen restaurante japonés y me dijeron que sí. En parte lo sugerí porque esperaba que allí hubiera gente que hablara japonés e inglés y les ayudaran con el idioma. Les acompañé al restaurante y, cuando llegamos allí, insistieron en que comiera con ellos.

Accedí a un almuerzo rápido. Unas cuantas botellas de sake después, nos estábamos riendo y empezando a conocernos. Afortunadamente, había una camarera que hablaba japonés e inglés perfectamente y que hizo de traductora durante casi toda la tarde. Se llamaba Keiko Shioda. Joven, atractiva e inteligente, Keiko era una intérprete excelente. Aquella tarde le pedí que trabajara para mí como intérprete, y accedió.

Resultó que los dos japoneses a los que ayudé eran prósperos hombres de negocios en su país. Uno de ellos era presidente de una empresa de inversiones y el otro era su secretario. El presidente era uno de los hombres más ricos de Japón. Qué hacían estos dos hombres en la calle, en lugar de acudir a su cita en coche, es algo que sigo sin entender. En cualquier caso, gracias a Keiko, nos dimos cuenta de que compartíamos muchos intereses comerciales y de que podríamos unirnos en una operación comercial. Yo estaba impaciente por hacer contactos en Japón y cerrar un negocio allí, tras haber fracasado muchas veces antes. Pensé que ésta podría ser mi oportunidad de oro. No fue así. Poco después de nuestro encuentro, fracasó la posibilidad de hacer un negocio con mis amigos japoneses, pero me presentaron a otro hombre de negocios con quien realicé mi primera operación con éxito en Japón. Keiko fue mi intérprete.

Se trataba de una inversión multimillonaria de banqueros japoneses en una empresa de biotecnología que yo representaba. El acuerdo parecía fascinante. Los inversores eran perfectos para la compañía y todos los directivos se llevaban de maravilla, —hasta que una palabrita en el contrato casi lo echa todo a perder. La palabra era «ello».

El «ello» en cuestión se refería a la compañía, pero los japoneses creyeron que era otra parte del acuerdo. «¿Quién es ello?», querían saber. «¿Por qué es "ello" parte de este acuerdo?» Desafortunadamente, nos llevó días llegar a entender lo que realmente había provocado el malentendido. Todo lo que sabíamos era que había un problema con el contrato, que finalmente los japoneses acabaron por explicarnos. Tras varias horas al teléfono a las 3 de la madrugada —hay 14 horas de diferencia entre Tokio y Nueva York— nos dimos cuenta de que la palabra «ello» era la cuestión, y por qué «ello» representaba un problema.

Fue Keiko quien finalmente encontró una salida para nosotros cuando las cosas habían llegado a un punto en que parecía que todo se iría al traste. Keiko me habló en privado y me explicó el problema. Aparentemente, los japoneses tenían a su propio traductor, y no querían que Keiko tradujera. El traductor japonés estaba teniendo problemas para darle un sentido a la palabra «ello».

Cuando se aclaró el problema, pudimos solucionarlo con bastante facilidad, pero me abrió los ojos a algo muy importante: la comunicación puede verse interrumpida por pequeñas cosas y un «sí» puede convertirse muy fácilmente en un «no».

7. Reconocer el poder de alguien que puede decir no

Sólo las personas con una posición de poder y autoridad pueden decir «no». Aunque la persona lleve la gestión del almacén, si está en posición de decir «no» a tu producto, tiene la autoridad para tomar dicha decisión. Cuando encuentres a una persona que puede decir «no», has encontrado un centro de autoridad. Con la influencia adecuada, a veces se puede persuadir a una persona que dice «no» para que diga «sí».

Cuando empecé en los negocios, pasaba la mayor parte de mi tiempo con personas que decían «sí» y «quizá». Nunca estaba con aquellos que decían «no». Fue un error. La gente que dice «quizá» normalmente constituye una pérdida de tiempo. No pueden tomar una decisión y muchos sólo esperan que te vayas. Sin embargo, se debe estudiar, reflexionar y muchas veces volver sobre aquellos que dicen «no». Quiero saber por qué dicen «no», qué les preocupa. En ocasiones le digo a alguien: «Si le convenzo de que puedo evitarle preocupaciones, ¿tengo alguna oportunidad de que diga sí?».

Muchos lo hacen.

En 1989 leí un artículo en el *New York Times* sobre un nuevo fondo con 5 millones de dólares de capital, denominado el fondo Kaufman, gestionado por un hombre de negocios muy astuto, Hans Utsch. Utsch buscaba compañías pequeñas para invertir y yo tenía la compañía perfecta para su fondo.

Le llamé, hablé con su secretaria y fui rápidamente rechazado. Me dijo que Utsch estaba ocupado. Así que volví a llamar a su oficina nueve veces hasta que finalmente conseguí hablar con él. Al décimo intento, él mismo descolgó el teléfono y me preguntó qué quería.

Le dije lo que había leído en el artículo del *Times* y que tenía una compañía que sería ideal para su fondo. Le describí la compañía, le dije el nombre, y que su presidente consejero delegado estaría en mi despacho a las 5 de la tarde del día siguiente. ¿Querría venir? Sí, dijo, y colgó el teléfono bruscamente.

Me quedé tan perplejo por lo rápido que había pasado todo que me dio apuro llamarle de nuevo para preguntarle si sabía dónde estaba mi oficina. Al día siguiente llegó puntual, tras estudiar la compañía en profundidad. Después de escuchar al presidente, Utsch invirtió 100.000 dólares. Dos años después vendió su inversión original por ocho veces su valor.

El Fondo Kaufman es uno de los fondos de inversión con más éxito, con activos por valor de más de 6.000 millones de dólares.

Mis mentores, Ed O'Connor y Gary Cohen, solían decirme: cuando oigas la palabra «no», sé consciente de que estás más cerca de hacer un negocio, porque matemáticamente has eliminado otro «no» antes de llegar al «sí». En realidad, las negociaciones no empiezan hasta que oyes la palabra «no». Estás hablando con alguien que tiene autoridad y está en una posición para decir «sí». Entonces es cuando empieza el juego.

Cuándo dar el salto
y cuándo desistir

*La mejor forma de tener una buena idea es
tener muchas ideas*

Las oportunidades son regalos paradójicos. La única forma de beneficiarse de ellas es arriesgar algo. Aunque normalmente no pensamos en ello en estos términos, cada oportunidad, en realidad, es una invitación para jugar. Así funciona el juego de la vida. Déjenme que les ponga un ejemplo.

Como ya he dicho en este libro, estuve en Japón durante más de dos años sin cerrar una sola operación. No fue por no intentarlo. Ya había viajado a Tokio en muchas ocasiones y ofrecido operaciones muy buenas a los japoneses. El valor de dos de las compañías para las que había intentado atraer inversiones de empresas japonesas —Summit Technology y Marrow Tech— se había multiplicado varias veces. Mi problema, en parte, era que yo era joven. Aunque mi cargo era vicepresidente senior, sólo tenía 28 años y aparentaba unos 20. Los japoneses —especialmente los hombres de negocios— respetan la experiencia y la edad y yo carecía de ambas. Aun así, seguía intentándolo.

En febrero de 1990 viajé a Tokio para reunirme con el presidente de Yamaichi Univen, la filial de capital riesgo de Yamaichi Bank, el cuarto banco mayor del mundo. Tenía que conseguir que Yamaichi y otras empresas japonesas invirtieran en una compañía farmacéutica, y estaba intentando recaudar fondos para la puesta en marcha. Pocas empresas de financiación japonesas habían invertido en una Oferta Pública de Acciones de una empresa americana de biotecnología, y Yamaichi no estaba entre las que lo habían hecho. También me reuniría con otras seis empresas y después viajaría a Hong Kong para buscar otros posibles inversores.

Tras un viaje de dieciocho horas a Tokio, vía Hong Kong, más dos horas de autobús hasta el hotel Imperial en el centro de la ciudad, llegué a última hora de la tarde. Deshice las maletas y encontré una nota de mi prometida en la que decía: «No te preocupes por los negocios. Sé tú mismo y diviértete». Me fui a dormir y me desperté a las 7:30 de la mañana siguiente. Una hora después estaba en la famosa Línea Roja Marunouchi rumbo a las oficinas principales de Yamaichi.

Durante seis meses había tentado a Yamaichi con Interneuron. Afortunadamente, la tecnología en la que se basaba la compañía había sido desarrollada por MIT, que tenía algún peso entre los japoneses. Los nombres punteros son importantes cuando vendes al otro lado del océano. En Yamaichi, presenté Interneuron a seis de los altos ejecutivos, incluyendo al presidente de la empresa, el señor Shinozaki. La presentación se prolongó durante dos horas. En ese tiempo, de alguna forma me las ingenié para hacerme amigo de mi intérprete, quien astutamente me aconsejó sobre cuándo debía hablar y cuándo permanecer callado. Al terminar, el presidente y su equipo sugirieron que fuéramos a cenar aquella noche.

A las 6:30 me encontré con mis anfitriones en un restaurante francés y así comenzó una larga noche de bebida y comida, con gran exceso de lo primero. Una gran cantidad de platos desfiló ante nosotros. La cantidad de alcohol no fue menor. Empezamos con cerveza Suntory, seguida del habitual sake, whisky y coñac. Después de mucha conversación y más risas, finalmente nos trajeron la cuenta. Para guardar las formas, algunos jóvenes ejecutivos se ofrecieron a pagar, pero en Japón, incluso pagar la cuenta está sujeto a la sagrada tradición. Ese derecho recae en la persona de más edad sentado a la mesa, en este caso el presidente de la compañía, Shinozaki.

—No, no —dije yo—. He aprendido tanto de esta experiencia que me gustaría pagar a mí.

En ese momento, todavía no había visto la factura. Shinozaki me dedicó una sonrisa maliciosa y dijo:

—Dijobo des —que quiere decir «de acuerdo».

Sin dudarlo puse mi American Express sobre la mesa. Fue entonces cuando miré la factura: 7.500 dólares. «Horror», pensé. Mi límite de crédito es de 5.000 dólares. De repente, toda la mesa estalló en una carcajada. ¿Sabían que mi crédito estaba 2.000 dólares por debajo del coste de la cena?

—Sólo estaba bromeando —dijo uno de los ejecutivos jóvenes sobre el comentario de Shinozaki.

El presidente pagaría la factura. No manifesté ningún signo de alivio.

—Bueno —dije de mala gana—. Me inclino ante la tradición.

El presidente me dirigió una sonrisa conspiradora, con una pizca de ternura en sus ojos. Puede que lo supiera, pero eso no importaba. Mi credibilidad acababa de ganar puntos.

Nos trasladamos al piano bar donde nos sirvieron más bebidas. Intenté desesperadamente aferrarme a la escasa sobriedad que me quedaba. No era fácil. Lo único que me convencía de que no estaba completamente borracho era que aún sabía por qué estaba allí: quería cerrar un negocio con el presidente de Yamaichi esa misma noche. Seguía preguntándome cómo iba a hacerlo. Cuanto más bebía la gente, más obscenos eran los chistes y las historias que contaban. Cualquier idea sobre el negocio estaba básicamente a una galaxia de distancia —una galaxia que, gracias al whisky, parecía muy, muy lejana—. Finalmente, tuve una inspiración. ¿Me atreveré? Pensé. Estoy muy borracho, y no he gastado esa broma desde el colegio. ¿Qué pasará si fallo? Yamaichi era mi mayor esperanza de encontrar un inversor en este viaje. ¿Qué le diría a los ejecutivos de la compañía si echaba a perder esta oportunidad? Contaban conmigo. De repente, recordé la nota de Donna: «Sé tú mismo y diviértete», decía.

Le pedí al camarero una baraja de cartas. Se inclinó bajo la caja registradora y me tendió una.

—Shinozaki-san —dije—, elija una carta de esta baraja. Mírela y vuelva a colocarla en su sitio. Voy a barajarlas y después pondré la baraja delante de nosotros. Si saco su carta, su empresa invertirá un millón de dólares en la compañía. Si no, vuelvo a casa sin la inversión, y sin reproches. ¿Trato hecho?

Vaciló y después me dedicó una amplia sonrisa. También le gustaba apostar a lo grande.

—Hai —dijo.

En ese momento supe que acababa de cerrar mi primera operación en Japón.

Le tendí la baraja y Shinozaki-san escogió una carta.

—Bien —dije—, mire la carta y después colóquela de nuevo en la baraja sin enseñármela —y él obedeció.

Barajé durante un rato y después coloqué la baraja sobre la mesa frente al presidente. Le pedí que diera tres golpecitos ligeros sobre la baraja y después le diera la vuelta a la primera carta. Era la que él había elegido.

—¡Shingin Nariui! —exclamó, que quería decir «¡Increíble!».

Antes de que llegara a Nueva York, el millón de dólares ya había sido ingresado en la cuenta de mi empresa. Yamaichi Univen vendió tres años después por ocho veces la cantidad invertida.

1. Dar el salto

Los detalles de cada oportunidad de oro son tan diferentes como cada uno de nosotros, pero todos responden al mismo tipo de situaciones. De repente, tienes la oportunidad de bordar una operación que cambiará tu carrera; o te ponen en las manos un proyecto cuyo éxito cambiará el rumbo tu vida; o se te presenta la oportunidad de abrir tu propio negocio. Decir «sí» a tu oportunidad de oro hará que cargues con el peso de una enorme responsabilidad sobre tus hombros. Es muy probable que tengas que soportar más estrés y tensión. Todos sabemos que el éxito no está garantizado. Anteriormente ya has saltado y has caído, nos ha pasado a todos en un momento u otro. Si fracasas, tú tendrás la culpa. Si triunfas, te llevarás la recompensa. En ambos casos, tu vida cambiará radicalmente.

¿Qué debes hacer?

En gran medida depende de ti. En mi opinión, la mayoría de la gente tiende a hacer hincapié sólo en un aspecto de la oportunidad restando importancia a los demás. Algunos ven la oportunidad principalmente como la posibilidad de lograr un objetivo. Puede que digan que ven los posibles escollos implícitos en la situación, pero están tan excitados por las posibles recompensas que pasan por alto los riesgos. Desafortunadamente, muchos de ellos saltan antes de mirar, porque son avariciosos o ingenuos. La gente que salta en situaciones en las que incluso los «ángeles temen pisar» se estrellan reiteradamente hasta que se vuelven sabios o desabridos.

Hace algunos años tuve el honor de cenar con la ex primera ministra de Inglaterra Margaret Thatcher. Éramos seis a la mesa, contándola a ella y a mí. En un momento de la conversación, aproveché la oportunidad para explayarme sobre los recientes avances médicos en biotecnología. La verdad es que estaba presumiendo y, en este caso, había saltado antes de mirar. Cuando terminé mis comentarios, la señora Thatcher hizo su propia presentación sobre biotecnología, que resultó ser mucho más impresionante que la mía.

Con una gran dosis de humildad, le dije:

—Señora Thatcher, ¿cómo ha adquirido unos conocimientos tan sofisticados de biotecnología y medicina?

En su tono más aristocrático, me contestó

—Señor Kash, obviamente usted no ha leído mi libro. De lo contrario, sabría que he estudiado la carrera de química.

Me sentí como si me hubieran dado una bofetada. Hasta el día de hoy, la imagen que tengo de ese momento es cómo me dirigía su mirada de desprecio desde una gran altura. Una de las lecciones que he aprendido de estas situaciones es que hay una gran diferencia entre dar un salto porque tu medio de vida depende de ello —y porque las circunstancias lo permiten— y saltar porque tu ego está temporalmente inflado.

Es importante establecer estas distinciones —es decir, entre el corazón y el ego— porque si recibes una bofetada, puede que empieces a percibir las oportunidades como situaciones peligrosas que muy probablemente acaben en fracaso y pérdida. Los que ven la vida en estos términos corren el riesgo de retroceder aunque estén viendo la oportunidad de sus vidas. Desafortunadamente, se retiran hasta que se hacen más y más pequeños, y acaban viviendo, como decía Henry David Thoreau, una vida de callada desesperación.

La forma de comportarte cuando te enfrentas a una oportunidad depende con frecuencia de cómo ves la vida; o, utilizando la famosa pregunta de Einstein, de si ves el universo como un lugar acogedor o no. Resulta interesante comprobar que aquellos que dicen que el universo no es un lugar acogedor no sólo dejan de saltar ante su oportunidad de oro, sino que en muchas ocasiones ni siquiera son capaces de reconocerla cuando se presenta.

Muchas veces he ofrecido operaciones a inversores ricos que llevaban la palabra éxito escrita por todas partes. Sin embargo, decidieron no asumir el riesgo, lo que pronto se revelaba como la decisión equivocada.

Lo que quiero decir es que todos debemos aprender cuándo debemos saltar hacia lo desconocido y asumir ese riesgo inevitable. Es una elección difícil. Si no se es adivino, no es posible predecir el futuro. Por tanto, surge una pregunta natural: ¿Cómo puedo decidir si esta oportunidad es buena para mí o no?

En los negocios existen unas pautas claras para tomar decisiones importantes, especialmente para decidir si aprovechar o no una nueva oportunidad. Se pueden examinar muchos factores tangibles para ayudar a determinar si una compañía invertirá en un nuevo producto, o línea de productos, por ejemplo, o hacer una nueva adquisición. Pero en la vida —es decir, en tu carrera— estas decisiones pueden ser más complejas, en parte porque están basadas en factores menos definidos, como tus talentos, ambiciones, y si estás preparado para ese reto o no.

En este capítulo voy a facilitar algunas pautas para decidir cuándo dar un salto decisivo hacia lo desconocido y cuándo no hacerlo.

2. Reglas para saltar

Al igual que en una decisión comercial, se pueden desarrollar pautas para tomar decisiones en relación con la profesión y la vida. Puede que haya muchos factores importantes, pero he identificado siete que creo serán de ayuda para determinar si la oportunidad que te ofrecen es adecuada. Cuando te enfrentas a una oportunidad o un reto importante, que no sabes si asumir o no, contesta las siete preguntas siguientes. Entonces sabrás cuáles son las posibilidades de éxito con esa oportunidad. Las preguntas son:

1. ¿QUÉ OFRECE LA OPORTUNIDAD? Debes tener muy claro cuáles son los beneficios reales. Analiza la situación y haz preguntas para asegurarte de que no te estás engañando a ti mismo sobre lo que realmente se ofrece, frente a lo que tú crees que se está presentado. Pregunta sobre quienes te están ofreciendo esta oportunidad. Considérala realmente tal como es.

2. ¿QUÉ TIENES QUE PERDER SI LAS COSAS NO SALEN BIEN? ¿Perderías posición, un puesto en tu empresa, tu propio negocio u otro recurso o bien valiosos?

3. ¿TIENES OTRA ELECCIÓN? Invariablemente, la red de la vida nos ofrece oportunidades cuando las necesitamos desesperadamente. A veces, el estrés del momento nos impide reconocer lo buena que es la oportunidad, pero con una pequeña reflexión y el reconocimiento de que tenemos poco donde elegir, puede que nos demos cuenta de que nos están haciendo un fabuloso regalo.

4. ¿DESEAS DEDICAR TU TIEMPO, ENERGÍA Y CORAJE EN ESTE EMPEÑO? Una pregunta importante es ésta: ¿es el miedo lo único que te impide avanzar? El miedo al fracaso puede hacer que nos sintamos confusos, inseguros e indecisos, características que casi siempre nos precipitan al fracaso. Pregúntate sinceramente si el miedo es lo único que te impide valorar lo buena que es la oportunidad.

5. ¿TIENES LA MADUREZ, O SABIDURÍA, PARA DESENVOLVERTE CON HABILIDAD EN LAS SITUACIONES? En ocasiones, tenemos la mala suerte de enfrentarnos a una oportunidad para la que no estamos preparados. Puede que no hayamos avanzado lo suficiente en nuestra carrera como para manejar tal situación. Quizá no hayamos desarrollado las aptitudes para enfrentarnos a los retos que dicha oportunidad conllevará. La sabiduría exige que seamos honestos con nosotros mismos para saber qué deberíamos esperar. No hay que olvidar el principio del viejo Peter, que dice que la gente tiende a ascender hasta su nivel de incompetencia. Creo que el principio de Peter se produce más frecuentemente en las personas que son ascendidas prematuramente. No se dieron cuenta de que la ambición excesiva puede hacer que queramos lograr lo que está más allá de nuestro alcance.

6. ¿LA SITUACIÓN TE OFRECE LA OPORTUNIDAD DE HACER ALGO QUE TE DIVIERTE, E INCLUSO QUE TE APASIONA? ¿Forma parte de tu persona o exigirá que hagas cosas que están fuera de tu área de interés o experiencia?

7. ¿QUÉ SIENTES POR DENTRO? Sin lugar a dudas, ésta es la pregunta más importante de todas. Si algo dentro de ti reacciona con alegría, emoción y coraje; si tus propias células están saltando para decir «sí», estos sentimientos son suficientes para hacerlo. Creo que cada uno de nosotros posee una especie de diapasón espiritual en su interior. Cuando se presenta una oportunidad que no es adecuada para nosotros, algo en nuestro interior nos lo hace saber. Surge un sentimiento, una especie de disonancia que experimentamos como una resistencia al movimiento. Ése es

el diapasón que nos indica que la respuesta es «no». Abstente, espera. Pero cuando te enfrentas a la gran oportunidad que eleva tu espíritu y desencadena algo en tu interior para que saltes, entonces no tienes más remedio que seguir tu instinto.

Cuando te hayas preguntado y hayas respondido estas siete preguntas, deberías tener una idea clara de la oportunidad que se te ofrece y cómo hace que te sientas. Cuantas más oportunidades busques, mejor sabrás reconocerlas y cuándo saltar, o cuándo no hacerlo.

Si sabes lo que te están ofreciendo, y te gusta, y sabes que estás preparado, y en tu interior sabes que esta oportunidad es buena para ti, entonces aprovecha la ocasión y salta. Dar la espalda por miedo es arriesgarse a perder algo más que una oportunidad de oro. Tanto si te das cuenta como si no, una parte de tu alma está en juego.

3. Ser o no ser... la versión heroica de ti mismo

¿Qué nos ofrece realmente la oportunidad? ¿Se trata simplemente de un trabajo mejor o de un proyecto apasionante, o de un negocio que queremos emprender por nosotros mismos? Si no es eso, ¿qué más nos están ofreciendo? Ese más es la oportunidad de experimentar la persona heroica que eres. Si nos retraemos habitualmente ante la oportunidad, nos veremos a nosotros mismos encogiéndonos, a veces también ante las personas que nos quieren.

En muchas ocasiones me he preguntado a mí mismo por qué pasa esto. Creo que la respuesta es que todos estamos bendecidos y maldecidos con una imagen heroica de nosotros mismos que deseamos alcanzar y desarrollar. Lo que quiero decir es que tenemos una idea difusa, y sin embargo poderosa, de quiénes querríamos ser. Esa imagen heroica es diferente para cada uno. Una persona desea ser médico, enfermera o cualquier otra forma de curador; otra persona quiere ser un gran arquitecto, y otra, un gran científico. Algunas personas quieren ser empresarios; otras, grandes vendedores, escritores, maestros, artistas, cantantes, bailarines, actores, sacerdotes, rabinos y ministros. Cualquiera que sea alguien desea ser su propia versión idealizada de esa actividad o profesión.

Uno de los aspectos difíciles de este sueño es que es multidimensional, lo que quiere decir que incluye muchos aspectos de tu vida, no sólo el profesional. En diversos grados, contiene otros aspectos, como el papel de padre, marido o esposa, proveedor y amigo. Pero normalmente, uno de los aspectos de este sueño prevalece sobre los demás, y eso es lo que queremos llegar a ser.

Digo que estamos «bendecidos» y «maldecidos» por la presencia de esta imagen heroica porque nos afecta en ambos sentidos. Puede hacer que seas una persona verdaderamente realizada y feliz, o puede ser la causa de tu mayor frustración.

Lo irónico es que no es necesario desarrollar la imagen totalmente. De hecho, todas las personas verdaderamente maduras y realizadas que conozco creen que no han alcanzado su arquetipo heroico. Lo que importaba finalmente era si lo habían intentado —es decir, si se habían dedicado o no al cumplimiento de su sueño—. Una vez, un hombre muy sabio me dijo que él no había logrado sus ambiciones en todos los aspectos de su vida. Aun así, consideraba que su vida era un éxito porque sinceramente creía que había hecho todo lo posible. Y en realidad, todo el mundo estaba de acuerdo en que este hombre había triunfado.

Otro punto interesante sobre nuestro ideal heroico es que nadie puede juzgar lo cerca, o lo lejos, que nos hemos quedado de realizar nuestro sueño. Sólo nosotros mismos lo sabemos. Sin embargo, la opinión de ti mismo dependerá, en parte, de si saltaste cuando la red de la vida te ofreció una oportunidad. ¿Saltaste, o te encogiste ante las posibilidades porque tenías miedo? Esto es lo que todos nos preguntaremos al final del camino.

A veces me pregunto lo que determina si debería saltar o no. Muchas veces he saltado y fracasado estrepitosamente, y no porque fuese especialmente torpe después de haberme comprometido. Fracasé porque me comprometí cuando debería haber dicho que no. Entonces, ¿cómo se puede distinguir entre una oportunidad por la que deberías arriesgarte y otra que tu juicio te dicta que debes evitar?

No es una pregunta fácil, y cada uno debe responder la suya. Yo respondo así: si se me presenta una oportunidad que me permite acercarme más a quien deseo ser —es decir, me ofrece la oportunidad de ser quien realmente deseo ser—, entonces salto. Asumo el riesgo y doy todo lo que puedo para lograr mi ambición. Pero si se me presenta una oportunidad para la que creo no estar preparado, o no se corresponde con mi ideal heroico, entonces renuncio, porque naturalmente me alejará de quien soy realmente y de quien deseo ser. En este último caso, no siento una pérdida cuando digo «no». Al contrario, me siento bien por no haberme dedicado a una tarea o proyecto para los que no estoy preparado naturalmente. En ocasiones, remito a la persona que me está haciendo la oferta a otra persona que sé que está mejor preparada.

Por otra parte, cuando se presenta una oportunidad que considero buena para mí, o incluso por la que puede ser divertido arriesgarse, salto. Algo en la oportunidad me hace sentir bien. Me siento extrañamente impulsado; se podría decir incluso que es una llamada. El impulso siempre parece ser consustancial con algo muy fundamental para mí y mi naturaleza. Se podría considerar que la oportunidad es coherente con lo que amo y de lo que me gusta formar parte.

4. A veces te ves forzado a saltar

Una de las características más consistentes que he encontrado en la red de la vida es que ofrece grandes oportunidades cuando más las necesitamos. Por ese motivo, es importante permanecer predispuesto y receptivo cuando las oportunidades se presentan en tiempos de crisis.

Al principio de mi carrera fui contratado como banquero de inversores con la responsabilidad de recaudar fondos para proyectos biotecnológicos. Poco después, un miembro más veterano de la empresa, que se sentía amenazado por el enfoque innovador de los negocios, logró que me echaran. La víspera de que esto ocurriera, una secretaria me dijo que al día siguiente me pondrían en la calle. Decidí moverme rápido. Me dirigí a otro socio de la empresa y le pedí trabajo. Me contrataría si le presentaba una operación en las 48 horas siguientes. ¿Qué podía hacer? No estaba seguro de por dónde empezar, pero estaba convencido de que algo haría.

Al día siguiente, como estaba previsto, mi jefe me echó. Yo aún seguía contratado, gracias a mi acuerdo temporal con el otro socio, pero las horas seguían pasando. Ese mismo día, más tarde, me llamó Herb Silverberg, mi antiguo mentor. Herb, que había sido mi profesor cuando yo tenía siete años, había oído que estaba trabajando en Wall Street y quería saber si sabía algo sobre prisiones privadas. Un amigo suyo quería cerrar una operación con la Corporación de Correccionales de América, una compañía pública que gestionaba prisiones privadas, y le había preguntado a Herb si conocía a alguien que pudiera ayudarle. Herb y yo habíamos perdido el contacto hacía años, pero cuando su amigo le preguntó si conocía a alguien en Wall Street, pensó en mí. Ahora me preguntaba si podía ayudar a su amigo. En ese momento podría haberme echado atrás, admitiendo que no sabía nada de prisiones privadas, ni de nada en realidad. Pero me encontraba en un momento desesperado de mi carrera. Estaba a punto de quedarme sin trabajo a menos que presentara un negocio. Éste era el negocio que la red de la vida me ofrecía. Sí, le dije a Herb. Puedo ayudarte.

Dediqué el resto del día a concertar reuniones con las partes y después llamé al socio veterano que me había contratado, justo cuando expiraba el plazo de 48 horas. Le pregunté si podía asistir a una reunión el lunes con una de las partes? Me dijo que sí, aunque me reconoció que no sabía nada de prisiones privadas.

Ese fin de semana me gasté 1.500 dólares en el ordenador de la Biblioteca Prudencial-Bache para aprender todo lo posible sobre la materia. El lunes por la mañana, a las 8:30, nuestros clientes potenciales llegaron a la oficina. Antes de iniciar la conversación sobre posibles inversiones, querían saber lo que sabíamos de la empresa. Con eso, realicé una presentación de una hora sobre prisiones privadas, tras la cual nuestros clientes nos contrataron de inmediato. Tras una segunda reunión a la que también asistió la Corporación de Correccionales, los clientes nos dieron una bonificación de 10.000 dólares. Y, lo más importante para mí, tenía un empleo.

5. Cuando tu corazón salte, deja que tu cuerpo le siga

Recuerdo la maravillosa historia de Debbi Fields, a quien le encantaba hacer riquísimas y crujientes galletas de chocolate. Sus galletas tenían dos cualidades distintivas que las diferenciaban de las demás galletas. En primer lugar, eran más grandes que las galletas normales. Había ideado galletas más grandes para comer menos, lo que significaba no engordar tanto. En segundo lugar, eran blandas. Hasta ese momento las galletas de chocolate normales eran crujientes.

Durante años hizo galletas para sus familiares, vecinos y amigos, y todos coincidían en que nadie hacía las galletas como Debbi. En 1977 decidió que quería abrir una pequeña tienda en su ciudad, Palo Alto, California, para vender sus galletas. El estímulo subyacente a la idea era una simple necesidad. «Necesitaba compartir algo de mí misma con el mundo», escribió en su autobiografía, *One Smart Cookie (Una galleta inteligente),* (Simon and Schuster). «Quería dar, ser parte de las cosas. No estaba preparada para ser invisible, no participar. Y dio la casualidad de que lo que tenía para ofrecer era una endiabladamente deliciosa galleta de chocolate. Así que, para mí, vender galletas en una tienda era una buena idea.»

Lamentablemente, todos aquellos con los que compartió su ambición pensaban que una tienda de galletas era una solemne tontería. El marido de Debbi, Randy, era un economista que invitaba regularmente a sus clientes —ejecutivos de industrias importantes— a su casa para hablar sobre inversiones. Debbi hacía galletas para la gente que asistía a estas reuniones. Todos los ejecutivos sin excepción adoraban sus galletas. De hecho, les gustaban tanto, que Debbi decidió pedirles consejo sobre abrir una tienda de galletas.

—¿Qué opinan de que abra un negocio para vender galletas al público? —les preguntó.

—Mala idea —dijeron con la boca llena de galletas—. Nunca funcionaría. Olvídelo.

«Todos los profesionales eran negativos y eso me volvía loca», escribió Debbi en su autobiografía. «No lo entendía.

Sabía que mi perspectiva era muy simple, pero tenía ojos para ver. Era como si me estuvieran diciendo una cosa y sin embargo hicieran exactamente lo contrario. No tenía ningún sentido.»

Debbi preguntó a su madre qué pensaba. Ésta le contestó:

—No creo que vayas a pasarte la vida pendiente de un horno caliente.

Pidió consejo a Randy, su marido:

—Debbi, no funcionaría —le dijo.

Debbi preguntó a una de sus más antiguas y mejores amigas lo que pensaba.

—Debbi, no puedo imaginar que salga bien.

Cuando pidió a la gente que le explicaran por qué pensaban que era tan mala idea, le hicieron una larga lista. América quiere una galleta de chocolate crujiente, no blanda. Además, Debbi sólo tenía 20 años. No tenía dinero, ni experiencia laboral, ni formación empresarial. ¿Qué podía saber ella de crear un negocio con éxito?

Increíblemente, a pesar de que cada figura con autoridad le decía que la suya era una idea descabellada, decidió seguir adelante. No tenía dinero, así que recurrió a los bancos. Por supuesto, todos los banqueros a los que presentó la idea pensaban que era una auténtica estupidez. Bueno, todos menos uno. Un responsable de préstamos llamado Ed Sullivan, del Bank de América, decidió dar una oportunidad a Debbi. Sus motivos: confiaba en Debbi y Randy y le gustaban sus galletas. Ed Sullivan concedió el préstamo a Debbi. Era el momento de la verdad. Podía lanzar su idea, apostando todo lo que llevaba encima y la receta de su galleta, o echarse atrás sabiendo perfectamente que todos los expertos en negocios con quienes había hablado —todos excepto uno, claro— le habían aconsejado que una tienda de galletas sería un fracaso.

El 18 de agosto de 1977, Debbi abrió Mrs. Fields Chocolate Chippery. El día que abrió sus puertas, ni un solo cliente entró en la tienda. Desesperada, Debbi cerró la puerta y sacó las galletas a la calle, donde ofreció muestras gratis a los transeúntes. Creía que con sólo probar sus galletas, la gente no podría pasar sin ellas. Tenía razón. Pronto la gente empezó a seguirla a la tienda. El primer día hizo una caja de 75 dólares.

Por supuesto, Mrs. Fields Chocolate Chippery se convirtió en uno de los grandes triunfos de la década de los ochenta. La tienda tuvo tanto éxito que Debbi Fields creó una franquicia. Poco después tenía tres tiendas en la zona de Palo Alto y después 15. Finalmente, estas 15 tiendas se convirtieron en 600 en todo Estados Unidos y en otros 10 países en todo el mundo. Debbi llegaría a ser la propietaria de 1.000 tiendas. Su pequeño negocio de galletas adquiriría un valor superior a los 100 millones de dólares. Mrs. Fields Chocolate Chippery llegó a ser tan grande que Debbi no podía gestionarlo y se vio forzada a venderlo. Pero antes de hacerlo, escribió una serie de libros, empezando por un libro de recetas, *Mrs. Fields Cookie Book*, del que vendió más de 1.500.000 ejemplares y fue el primer libro de recetas que figuró en la lista de best sellers de *The New York Times*. Hizo una serie en la televisión PBS con éxito y grabó su propio programa de televisión, «The Dessert Show». Y todo gracias a su pasión por las galletas y a una profunda fe en sus propias habilidades.

* * *

Dineh Mohager tuvo una experiencia similar. Convirtió un pasatiempo aparentemente sencillo, pintarse las uñas de forma creativa, en un negocio multimillonario. A Dineh le gustaba mezclar esmalte de uñas para crear diseños brillantes que fueran a juego con sus zapatos.

Un día, Dineh, estudiante universitaria de 21 años en la Universidad del Sur de California, paseaba por un centro comercial. Se le acercó una mujer que le preguntó dónde se había comprado el precioso esmalte de uñas que llevaba.

—Lo he hecho yo misma —le dijo Dineh.

—¿Quieres decir que no puedo comprarlo? —le preguntó la mujer.

—No. Soy la única que lo hace —le dijo Dineh con simpatía.

Esta misma situación se repitió varias veces ese día, hasta que Dineh se dio cuenta de que ella hacía algo que la gente quería. Junto con su hermana, Pooneh, y un amigo, Benjamin Einstein, Dineh creó Hard Candy, un productor de esmalte de uñas exótico que un año más tarde había alcanzado 10 millones de dólares en ventas.

* * *

La moraleja de estas dos historias es que nunca debes infravalorar aquello en lo que destacas, ni lo que te agrada. Con mucha frecuencia, hay oro en estos pasatiempos, y una vida entera de satisfacción.

6. A veces se salta por pura diversión

Arriesgarse cuando hay poco que perder hace que la vida sea más divertida y agradable. Las pequeñas aventuras contribuyen a la imagen heroica de nosotros mismos y nos hacen sentir mejor respecto de quienes somos. Son pequeñas bendiciones, aunque sólo sean pequeñas aventuras.

En la primavera de 1995, mi presidente fue invitado a una cena especial por la Fundación Simon Weisenthal Holocaust, en la que Arnold Schwarzenegger iba a pronunciar el discurso de apertura. Arnold iba a ser homenajeado por haber recaudado millones de dólares para organizaciones como la Fundación Simon Weisenthal, que intentan ayudar a los supervivientes del holocausto y llevar a los responsables ante la justicia.

El presidente me invitó a mí y a otros ocho miembros de la compañía a asistir a la cena, que costaba 10.000 dólares por mesa. Antes de la cena, se iba a celebrar un cóctel privado con Arnold en el hotel. Esta reunión costaba 25.000 dólares por persona y sólo asistiría el presidente. Cuando llegó la hora del cóctel, se pidió a los asistentes que fueran hacia los ascensores y se dirigieran hacia una sala especial donde se encontrarían personalmente con Arnold. Mi presidente se levantó y fue hacia el ascensor. Para su sorpresa, yo me levanté y fui con él.

—¿Qué estás haciendo? —me preguntó.

—Shhh. Sígueme la corriente.

Cuando llegamos al piso correspondiente, salimos del ascensor y nos dirigimos a un mostrador instalado en el hall donde se comprobaban los nombres para permitir la entrada a la sala. Un fornido guardia de seguridad estaba junto al hombre que comprobaba el nombre de cada persona. Mi amigo fue hacia el mostrador, dijo su nombre y fue admitido por el guardia de seguridad. Yo le seguí. Inmediatamente, el guardia de seguridad me agarró por la solapa de la chaqueta y me ordenó detenerme. Al mismo tiempo, abrí mi chaqueta un poco con la mano izquierda, un gesto que indicaba que llevaba un arma. «Seguridad privada», le dije al guardia. Me miró, dudó un instante, y después me dejó pasar. Caminé detrás del presidente, que tenía los ojos como platos. Una vez dentro de la sala, y fuera de la vista del guardia, los dos estallamos en carcajadas.

De repente, Arnold entró en la habitación y la llenó con su aura de celebridad. Todo el mundo se acercó a él formándose un círculo a su alrededor. No tiene sentido que yo también me acerque, pensé. Hay tanta gente que nadie intentaría atacar a Arnold. Me quedé atrás. De repente, muy sigilosamente, una embarazada Maria Shriver entró en la habitación. A diferencia de la llegada de su marido, Maria entró con un semblante modesto, como si estuviera intentando esquivar un radar y evitar el estruendo que su propia celebridad podría desencadenar. Me acerqué a ella y me presenté. Le dije que admiraba lo que ella y su familia habían hecho por las Olimpiadas Especiales, y aproveché para hablarle de algunos trabajos innovadores realizados por científicos del ámbito biotecnología para personas con diversas discapacidades mentales y físicas.

Ella conocía muchos de estos trabajos y nos enfrascamos en una animada conversación sobre los interesantes nuevos tratamientos para personas discapacitadas. Mientras hablábamos, veía cómo Arnold nos miraba de vez en cuando de reojo. Parecía que sentía algo más que curiosidad.

Poco después lo tenía delante de mí, con su enorme y no poco intimidatoria presencia, debo decir. Arnold acarició cariñosamente la barriga embarazada de Maria durante un momento y luego se volvió hacia mí.

—¿Y quién es usted? —preguntó con su voz y acento inconfundibles.

—Arnold, éste es Peter Kash —dijo Maria—. Trabaja en biotecnología; financia investigaciones.

—Es un gran placer conocerle, Arnold—, dije.

Nos dimos la mano. No hace falta decir que Arnold agarra con fuerza.

Curiosamente, Arnold me preguntó si sabía algo de trasplante de órganos y los riesgos que implicaba. Hacía algunos años que mi suegra había recibido un trasplante de válvula coronaria. Hablamos sobre cuestiones de rechazo hiperagudo y otros riesgos asociados a los trasplantes. Meses después, Arnold fue sometido a un trasplante de válvula coronaria.

Cuando acabamos de hablar, le pregunté si quería que nos hicieran una foto juntos. «A mis hijos les encantará», dije. Fue muy amable y nos sacaron una foto maravillosa juntos que hoy tengo en la librería de mi despacho.

Cuando tuve la fotografía, llevé a mis hijos a mi despacho para que la vieran. No les había dicho nada de mi encuentro con Arnold Schwarzenegger antes porque quería darles una sorpresa.

Cuando vieron la foto, mis hijos exclamaron: «Papá conoce a Turbo Man».

Había olvidado que les había llevado a ver la película *Un padre en apuros,* en la que Arnold interpretaba a un padre que intentaba comprar los regalos de Navidad para sus hijos. Para mis hijos, aquél no era Arnold Schwarzenegger —ese hombre no existía para ellos—, sino Turbo Man, el héroe de la película.

—Es cierto —dije—. He conocido a Turbo Man. Y es un tipo muy agradable.

* * *

Debemos ser muy precavidos cuando corremos riesgos —lo contrario sería pura arrogancia y la base para un serio fracaso—, pero la vida está organizada para que el riesgo sea una parte necesaria de cualquier tipo de éxito. Y lo que es más importante aún, no puedes convertirte en quien deseas sin asumir riesgos. He decidido, por tanto, que sólo asumiré grandes riesgos si mi vida depende de ello. Se pueden asumir pequeños riesgos por diversión. En ambos casos, no hay recompensa sin ellos.

El éxito y el poder son de los que se especializan

No tengas miedo de ir despacio, teme quedarte quieto.

Antiguo proverbio chino

Hay una vieja historia que cuenta que el gran Picasso estaba una tarde en un café de París cuando se le acercó una turista americana y le pidió que le dibujara algo.

—Se lo agradecería sinceramente —dijo la mujer—, y por supuesto le pagaría. Picasso aceptó el papel que la mujer le dio y empezó a pintar con esa concentración tan característica suya. Cuando acabó el dibujo se lo dio a la mujer.

—Oh, señor Picasso, es precioso. Es realmente precioso —le dijo la mujer—. ¿Cuánto le debo?

Picasso sonrió y le contestó:

—Son 30.000 dólares, señora.

La mujer se quedó pasmada.

—¿Treinta mil dólares? ¡Pero si sólo ha tardado un minuto!

A lo que Picasso replicó:

—Señora, usted no me paga por el minuto que he tardado en hacer el dibujo, sino por los treinta años que he tardado en aprender a hacer este dibujo en sólo un minuto.

Esta pequeña historia esconde muchos secretos relacionados con el éxito profesional. Picasso hacía algo mejor que casi nadie: pintar. Dedicó toda su vida a una única área, un área para la que estaba especialmente dotado, un área en la que podía desarrollar y controlar sus habilidades. Y luego fue más allá: aplicó su visión de la vida a su arte creando una expresión artística única, una expresión que no sólo expresaba su punto de vista, sino que transmitía los sentimientos más profundos de muchos miles de otras personas. Picasso encontró su propia singularidad, la alimentó, la cultivó, y más tarde la explotó al máximo, convirtiéndose en el proceso en la plena expresión de sí mismo como artista.

No estoy diciendo que Picasso no tuviera defectos, pero es un gran ejemplo para demostrar todo lo que puede conseguirse si nos especializamos en una única área para la que estamos dotados y luego nos dedicamos a desarrollar ese aspecto de nuestro ser. Tenemos el éxito casi asegurado.

Una de las cosas que intento inculcar a mis alumnos es que se especialicen y se conviertan en expertos en algún área de su profesión. Aquellos que sean capaces de convertirse en expertos en un campo específico adquirirán un conocimiento único, podrán desarrollar sus habilidades, lograrán prestigio por su excelencia y obtendrán poder y éxito económico. Todo el mundo recurrirá a ellos en busca del mejor asesoramiento, del mejor servicio o del producto de mayor calidad. Una vez llegados a este punto, su trabajo valdrá mucho dinero. Como dijo Picasso, el precio de sus obras debería incluir todos los años que han dedicado a desarrollar ese talento y convertirse en prominentes expertos en ese campo.

En mi opinión, todo el mundo tiene un nicho que puede hacerle de oro. Quienes lo encuentran pronto en sus carreras, ese nicho puede ser fuente de gran apasionamiento y compromiso que finalmente les conducirá al éxito. Para los que lo encuentran más tarde, puede ser la base de una especie de renacimiento de sus vidas profesionales, especialmente si se trata de un área en la que la persona está especialmente implicada. Independientemente de cuándo encontremos nuestro nicho, será un momento entusiástico. Es como si una gran puerta se abriera de repente ante nosotros ofreciéndonos nuevas oportunidades.

Una de las cosas interesantes sobre los nichos profesionales es que mucha gente no tiene que cambiar de profesión en absoluto para encontrar su lugar especial. Muy al contrario, lo único que tiene que hacer es especializarse en su campo.

Yo soy un profesional del capital riesgo, un campo muy amplio, pero estoy especializado en inversiones en biotecnología, y más en particular en las relativas a la salud. A efectos prácticos, soy un experto en estae área, y gracias a mi condición de experto soy muy conocido en el sector y me surgen muchas oportunidades a nivel mundial. Asimismo, soy capaz de identificar oportunidades que otros pasan por alto por falta de conocimiento del campo, no conocen las disciplinas implicadas ni a las personas y empresas líderes.

Actualmente me piden con frecuencia que dé charlas y haga presentaciones sobre biotecnología en todo el mundo. No sólo me pagan por dar estas charlas, sino que estos viajes me ofrecen invariablemente la oportunidad de hacer contactos de negocios con profesionales de mi campo en todo el mundo. Las oportunidades que me han proporcionado estos contactos son incalculables.

El camino para alcanzar esta especialización es, por supuesto, la formación y el conocimiento. Nadie tiene el monopolio del conocimiento y nadie puede conseguirlo. Lo único que hay que hacer es dedicarse a estudiar con pasión y convicción un campo en particular, aplicar el conocimiento adquirido y desarrollar habilidades, asistir a clases, talleres y simposios profesionales, hablar con otros profesionales del campo, leer, actualizarse y volver a aplicar el conocimiento adquirido. Cada año asisto a cuatro conferencias importantes para aprender de otros expertos en mi campo. También asisto a cursos de postgrado en universidades de prestigio como la Escuela de Negocios de Harvard, donde aprendo constantemente de mis alumnos. Obviamente, todo esto exige mucho tiempo y esfuerzo, y eso es justo lo que se necesita para lograr una carrera profesional de éxito: aprendizaje y desarrollo.

A medida que vayamos ganando conocimiento y habilidad, naturalmente pasaremos a desarrollar mayor confianza y respeto hacia nosotros mismos, lo cual se reflejará en todo lo que hagamos. Gradualmente iremos sintiendo cómo nace en nosotros el poder y la autoridad. Somos los únicos que lo sabemos todo acerca de un área específica de nuestra profesión, así que es normal que confiemos en nuestro propio conocimiento y creatividad. Con el tiempo se produce una especie de graduación en la que pasamos de un nivel profesional dependiente, casi sumiso, a una posición de más autoridad, responsabilidad y madurez. Con conocimiento y experiencia iremos haciéndonos a nosotros mismos, podremos movernos libremente de un puesto de trabajo a otro y finalmente nos daremos cuenta de que tenemos el control de nuestra vida profesional.

1. ¿Por qué hay tanta gente que fracasa al dar este paso?

La pregunta debería ser: «¿Por qué no lo da más gente?». Cuando planteo esta pregunta a mis alumnos y colegas casi siempre obtengo la misma respuesta: La gente se especializaría más si supiera en qué área de su profesión centrarse.

Efectivamente, ésta es una parte del problema, pero, como las cebollas, el problema tiene varias capas. La siguiente capa sería que la gente no sabe qué quiere realmente y en qué es buena. A falta de este conocimiento, demasiadas personas no se comprometen plenamente con su trabajo. Dicho de otro modo, no les interesa lo suficiente, y esa falta de interés lo cambia todo. A todo el mundo le gustaría sentir que está en el trabajo de su vida, y a falta de ese sentimiento demasiadas personas no se comprometen al cien por cien con su trabajo, siendo el propio trabajo el que sufre las consecuencias. No se dan cuenta de que los que realmente sufren son ellos. Al no comprometernos al cien por cien con nuestro trabajo, perdemos toda esperanza de alcanzar el éxito profesional.

Esto me lleva a una de las verdades más importantes de la vida: siempre hay que sacar algo bueno de la situación imperfecta en la que nos encontramos. Todos buscamos la perfección en todos los aspectos de nuestra vida (nuestro trabajo, nuestros seres queridos y nosotros mismos) y aun así nos vemos obligados a sacar lo mejor de las imperfecciones que nos vamos encontrando. Nadie tiene el trabajo perfecto. Ni siquiera creo que exista la carrera o el trabajo perfecto, así que ¿por qué debería ser nuestro puesto de trabajo distinto? Lo realmente importante es que podamos transformar nuestro trabajo en algo que verdaderamente nos guste y que nos sirva de vehículo para expresarnos y desarrollarnos.

Para ello debemos hacer cuatro cosas. En primer lugar, tenemos que poner empeño en lo que hacemos, independientemente del trabajo de que se trate, porque con ello reflejaremos lo que somos; en segundo lugar, tenemos que aprender todo lo que podamos sobre nuestro campo, desarrollando al máximo nuestras capacidades y nuestro potencial; en tercer lugar, debemos intentar orientar nuestra carrera profesional hacia lo que realmente nos motiva; y por último, debemos dejarnos envolver por las redes de la vida. Si hacemos las tres primeras, que son más o menos controlables, la cuarta, que no lo es, nos brindará la posibilidad de progresar. Muy a menudo esa oportunidad surge en forma de coincidencia que aparece de la forma más inesperada.

El gran secreto es la motivación. Sólo si hacemos algo que nos motive evolucionaremos más rápido y nos acercaremos al momento en que misteriosamente se abrirá una puerta que lo cambiará todo. Por otro lado, si nuestro trabajo no nos motiva lo más mínimo, hay que huir de él cuanto antes. La falta de motivación llegará a influir negativamente en todo lo que hagamos, cambiándolo todo a peor y minando nuestra autoestima. Y por supuesto acabará por dejarnos sin trabajo, lo cual, aunque en principio no lo parezca, será una bendición. Si hacemos algo que realmente nos inspira, nuestro talento emergerá de la forma más natural.

En este punto, muchos de vosotros os preguntaréis: «¿Qué me motiva?». Gran pregunta, una pregunta esencial en realidad, una pregunta que nos deberíamos hacer todos con frecuencia. Por supuesto, hay muchas cosas en nuestro entorno más cercano que nos motivan y que incluso amamos: nuestra familia, amigos, parientes. Pero no estoy hablando de ese tipo de motivación. Una buena forma de empezar a buscar respuestas a esta pregunta es recordar lo que solíamos desear para nosotros de jóvenes.

2. A veces nuestras habilidades están muy cerca

Una de las cosas más maravillosas y reveladoras del ser humano es que casi todo el mundo encuentra la forma de expresar su talento o sus habilidades, aunque sea en forma de hobby o entretenimiento. Así, por ejemplo, alguien que tiene un interés especial en la fotografía acaba comprándose una cámara y sacando fotos, y lo mismo ocurre con las personas que tienen vocación de enfermero, acaban ayudando a personas enfermas, mayores o lisiadas. Y a los que les gusta la pintura, empezarán por asistir a clases y acabarán pintando obras de arte. Estas habilidades surgen de forma misteriosa, discretamente, humildemente, casi sin darnos cuenta, y pasarían desapercibidas de no ser porque producen un inmenso placer cuando las practicamos. Dado que aparecen de forma tan misteriosa y sin previo aviso, tendemos a darlas por supuesto, como muchas de las coincidencias que cambian nuestra vida.

Para algunos, estos meros pasatiempos constituyen la base de su éxito profesional. Tomemos el caso de Papa John's Pizza. A John Schnatter de niño le encantaba la pizza y aprendió a hacerla. Ya en el instituto soñaba con abrir no sólo una tienda de pizzas, sino toda una cadena que abarcara todo el territorio de Estados Unidos. Una vez acabado el instituto, John fue a Ball State College en Indiana. Cuando se graduó vendió su coche por 3.000 dólares, que invirtió en crear su empresa. La llamó Papa John's Pizza. En el año 2000, Papa John's cotizaba en bolsa y sus ventas ascendían a 620 millones de dólares.

A veces nuestras habilidades son tan obvias que soñamos con hacer otras cosas en lugar de hacer lo que nos sale de forma natural. Muchas veces el trabajo que hacemos con más facilidad no tiene tanto glamour como las actividades que deseamos realizar. Eso fue lo que le pasó a Stanley Kaplan, que nació profesor pero soñaba con ser médico.

Stanley Kaplan es el famoso creador de los Centros Educativos Kaplan que preparan a sus alumnos para superar las pruebas de acceso a universidades y escuelas de negocios, medicina y derecho en todo el mundo.

Stanley era un alumno brillante, un estudiante de sobresaliente en todos sus años de instituto y universidad. A los 15 años empezó a dar clases de apoyo a sus compañeros en el

James Madison High School de Brooklyn, Nueva York, por 25 céntimos la hora. No sólo enseñaba las materias habituales, sino que también los preparaba para los exámenes del New York State Regents que todos los alumnos de Nueva York tienen que aprobar para graduarse en el instituto. Kaplan se graduó con cinco matrículas de honor.

Cuando llegó al City College, siguió dando clases a sus compañeros en todas las materias importantes, incluyendo cálculo y física. Cuando llegó al último año de universidad, Stanley ganaba tanto dinero dando clases como sus profesores de instituto. De nuevo, la enseñanza no afectó en absoluto a sus propios estudios, Stanley perteneció a la hermandad Phi Beta Kappa, recibió el premio por excelencia en ciencias y se graduó con magna cum laude en el City College en tres años.

A pesar de sus obvias habilidades para la enseñanza, Stanley quería ser médico. Creía que su excelente historial académico y su licenciatura en ciencias le abrirían las puertas de la facultad de medicina, pero no fue así. En la época previa a la Segunda Guerra Mundial, las facultades de medicina tenían limitado el número de judíos que podían admitir al año. Kaplan era judío y además procedía del City College, que en su día fue un refugio para gente de todas las etnias residentes en Nueva York, especialmente afroamericanos y judíos.

«Casi todos nos deprimimos cuando nos rechazan», le dijo Kaplan a un periodista muchos años después. «Pero en el fondo estaba contento. Sabía que tenía una alternativa. Me encantaba enseñar, pero no quería formar parte del sistema educativo. Quería utilizar mis propios métodos y desarrollar mis propios programas.» Como más tarde diría, «me rechazaron en la facultad de medicina y me inventé toda una industria». Y en efecto eso fue lo que hizo, sin nada más que su amor por la enseñanza, Stanley Kaplan fue el inventor de un negocio multimillonario.

El éxito de Kaplan empezó cuando al volver de la guerra los soldados quisieron contratarle en universidades y escuelas de postgrado, de medicina y de derecho. Pronto se especializó aún más dedicándose a preparar a futuros médicos en sus exámenes de fin de carrera, a contables para los exámenes de auditores y a abogados para las oposiciones del cuerpo de abogados.

«Los alumnos venían de todas partes del país a Brooklyn para apuntarse a mis programas», recordaba Kaplan. Y al final vendrían de todas partes del mundo.

Más de tres millones de médicos, abogados, científicos, ingenieros, arquitectos, agentes de bolsa y profesores se han matriculado en los Centros Educativos Kaplan, actualmente presentes en más de 1.000 lugares en todo el mundo. Más de 150.000 personas estudian en sus centros, en lugares tan remotos como China, Arabia Saudí y Hong Kong.

Stanley Kaplan quería ser médico, y habría sido un gran médico, pero tenía un don como educador que le proporcionó gran éxito en su vida. En efecto, se vio privado injustamente de dedicarse a la medicina, pero gracias a su actitud positiva y a su capacidad para identificar cuál era su verdadero talento, decidió seguir el camino de la oportunidad que la vida le brindó. Consiguió encontrar la pareja perfecta, la unión entre el talento y la oportunidad, lo cual le propició grandes recompensas y una total expresión de sus habilidades.

3. Hay que dominar lo básico y luego hacerlo a nuestra manera

No importa quién seas, para lograr el éxito debes aprender lo básico de tu profesión. Tradicionalmente, aquellos a los que se les daba bien un arte empezaban como aprendices de un maestro de ese arte. El neófito estudiaba junto al maestro muchos años. En el proceso superaba varias etapas de desarrollo, pasando de aprendiz a artesano a oficial y más tarde a maestro. Hasta que no llegaba a maestro, el alumno no podía empezar a hacer las cosas a su manera. Hasta entonces desarrollaba su profesión siguiendo las pautas de su maestro.

Virtualmente, todos tenemos que seguir estas mismas etapas de desarrollo. En efecto, puede darse el prodigio de poder hacer las cosas de una forma única desde el principio, pero ¿cuántos de nosotros somos Mozart? Hasta Picasso tuvo que especializarse en las técnicas de su arte antes de poder expresar su propia visión de la vida.

A lo que voy es a que si nos formamos en nuestro trabajo con empeño y conseguimos especializar nuestras propias habilidades, eventualmente nos convertiremos en maestros de nuestra profesión. Una vez llegados a ese nivel, las redes de la vida nos brindarán grandes oportunidades que sabremos aprovechar. A partir de ese momento, el límite está en el firmamento.

Me gusta recordar la historia de Robert L. Johnson, fundador, ex presidente y antiguo consejero delegado de Black Entertainment Televisión (BET). Johnson, que cumplió 54 años en 2001, era el noveno de diez hermanos. No tenía mucho, salvo inteligencia, ambición y una personalidad arrolladora, todo lo necesario para triunfar en la vida.

Johnson se graduó en la Universidad de Illinois y en la Woodrow Wilson School of Public and Internacional Affairs en la Universidad de Princeton. Durante un tiempo trabajó para la Corporation for Public Broadcasting y la Urban League, pero después consiguió un trabajo como uno de los jefes del grupo de presión de la Asociación Nacional de Televisión por Cable. Una vez en ese puesto, Johnson estudió a fondo el sector de la televisión por cable y estableció muchos contactos.

Un día de 1979, Johnson y un colega estaban discutiendo sobre la televisión por cable y los distintos segmentos de la población norteamericana. En ese momento estaban apareciendo nuevos canales dentro del mundo de la televisión por cable, como CNN y MTV. Su colega decía que los ciudadanos mayores veían mucho la televisión, pero que no se sentían fielmente retratados en ella.

—Y lo mismo puede decirse de la población negra de Norte América —dijo Johnson.

En cuanto esas palabras salieron de su boca se le ocurrió la idea de montar un canal dedicado a la población afroamericana. La idea era oro puro y Johnson lo sabía. Si MTV y CNN funcionaban, ¿por qué no iba a hacerlo un canal de televisión diseñado específicamente para entretener a la enorme comunidad afroamericana?

Johnson recurrió a su amigo de toda la vida John C. Malone para conseguir el dinero que necesitaba para poner en marcha el canal. Malone dirigía TeleCommunications, Inc. (TCI), una de las más grandes empresas distribuidoras de televisión por cable en todo el país. Johnson le contó la idea a Malone al tiempo que le pedía ayuda para conseguir el dinero. A Malone, que era hombre blanco, le entusiasmó la idea y le ofreció a Johnson 180.000 dólares a cambio del 20 por 100 de la empresa aún por crear. Johnson se quedó pasmado con la generosidad de Malone. «¿Sólo eso?», le preguntó. Sí, eso era todo lo que Malone quería. Además, Malone le prestó 320.000 dólares, que era lo que Johnson necesitaba para crear la empresa. Más tarde, Johnson diría que BET nació gracias a que John Malone fomentaba la diversidad en la televisión.

BET salió al aire por primera vez en 1980 y desde entonces ha superado las expectativas más optimistas. BET Holdings, la empresa matriz, posee cinco importantes canales por cable:

Black Entertainment Television, que llega a 57,8 millones de hogares americanos; BET on Jazz, el canal de jazz que llega a dos millones de hogares norteamericanos y tiene un millón de abonados; BET Movies/Starz!, un canal de películas exclusivamente de negros; BET Action Pay-per-view, un canal de pago que llega a 10 millones de abonados; y BET Gospel, fundado en diciembre de 1998. Johnson también creó BET Pictures II, cuyo objeto es crear películas animadas con temas afroamericanos, y BET Arabesque Films, destinada a películas para televisión. Asimismo, BET Holdings también creó varias revistas y un restaurante en el parque temático de Walt Disney en Orlando.

Hoy, BET es la única empresa en la Bolsa de Nueva York cuyos propietarios y directores son afroamericanos. En el año 2000, BET Holdings fue vendida a Viacom por 3.000 millones de dólares. Incluso antes de la venta, Robert Johnson tenía un patrimonio de cerca de 100 millones de dólares.

Este tipo de éxito no se logra pensando exclusivamente en márgenes y datos demográficos. Se logra mezclando lo personal con lo no personal, es decir, combinando nuestro conocimiento de la profesión con algo único dentro de nosotros, nuestro propio talento e identidad, y nuestra capacidad para identificar las necesidades de los demás. En el caso de Johnson, conocía el sector de la televisión por cable, tenía habilidades interpersonales y un gran carácter empresarial y conocía las necesidades de la comunidad de su público objetivo.

Johnson podía haberse conformado con ser un alto ejecutivo del sector con cierto nivel de éxito, pero nunca habría tenido una identidad, sería casi una figura anónima en un campo tan amplio. En el momento en que se decidió a expresar algo más de sí mismo encontró su propia identidad y reconoció el potencial de su carrera.

4. El objetivo es salir a la luz

A veces la gente no ve con buenos ojos las historias de éxito de las personas, como la de Robert Johnson. El éxito aparece como una culminación de muchas pequeñas pero importantes experiencias. Se trata de la consecución de muchos eventos, como una serie de perlas que se combinan para crear un precioso collar. Estos pequeños eventos pueden ser tan mundanos como aprender más sobre los productos o sobre el negocio, asistir a cursos para mejorar nuestro conocimiento y perfeccionar nuestras habilidades o mejorar nuestra capacidad de comunicar ideas o vender productos.

A veces cometemos el error de creer que la expresión personal debe tener como consecuencia una experiencia única o un gran éxito, y se nos olvida que desarrollar el entendimiento de nuestra carrera y aprender a expresarnos según nuestras convicciones es un proceso gradual y revelador. Se nos brinda la oportunidad de salir del anonimato casi a diario, y a medida que la aprovechamos vamos creando nuestra propia identidad de expertos en nuestro campo.

En 1995 me pidieron que hiciera una presentación en Los Ángeles ante las 350 familias más ricas de Estados Unidos. El motivo de la charla era captar inversores para nuestro fondo de inversión alternativa, del que era gestor. Era uno de los 60 ponentes esa noche, todos ellos gestores de fondos importantes de Wall Street. Las presentaciones sobre los fondos de inversión alternativa pueden resultar rematadamente aburridas, aunque utilices diapositivas, aunque muestres cifras impresionantes relativas al beneficio sobre la inversión, y aunque recurras a promesas vertiginosas sobre el dinero que ganarán tus clientes si invierten en este o en aquel fondo. Lo que ponía las cosas aun peor es que esa noche me tocaba hablar en último lugar. A medida que los ponentes, uno tras otro, explicaban detalladamente las características de sus fondos, la gente de la sala iba cerrando los ojos.

«Ajá... —me dije— Estos pobres se están aburriendo mortalmente. ¿Cómo puedo conseguir captar su atención y hacer que dejen de pensar en salir de aquí?»

Me devané los sesos la cabeza intentando ver cómo darle a mi presentación un enfoque diferente a las del resto de ponentes. Finalmente, el ponente anterior a mí acabó su presentación, y nuestro anfitrión, Jonathan Brenn, que trabaja para la familia Hunt —sí, esa familia Hunt— procedió a presentarme a la audiencia. En su presentación, John se refirió a mí como un tipo duro, nacido y criado en Brooklyn al que era mejor que prestaran atención. Presumí que se trataba de un intento de John de sacar a la audiencia del sopor absoluto en el que se encontraba. «Así que recibamos a Peter con un aplauso», finalizó.

Hay muchas cosas que la gente puede decir sobre mí, pero llamarme «tipo duro» no es lo más habitual. Puedo ser duro negociando como el que más, pero considero que puedo sacar mucho más si conservo la dignidad de todos. A veces he llegado incluso a renunciar a algo que he considerado marginal sólo para que mi interlocutor saliera airoso. Aun así, el comentario de John fue como una respuesta a mis plegarias. De repente supe cómo dirigirme a esa gente. Pero un miedo repentino se apoderó de mí. ¿Me atrevo a hacerlo? Pensé. Sí, adelante, me dije a mí mismo. Haz lo que hace todos los días el cómico Rodney Dangerfield. Así que me acerqué al estrado y miré fijamente a mi audiencia.

—John tiene razón, ¿saben? —dije—. Soy un tipo duro. De hecho, en mi barrio éramos tan duros que el periódico del colegio tenía una sección de demandas judiciales. Cuando estaba en primaria y el profesor nos imponía un castigo le presentábamos un recurso. Mi tío también era un tipo duro.

Una vez me preguntó si quería ir a cazar. Le dije que sí y me disparó. A mi mujer le encanta hablar en la cama, así que la otra noche me llamó desde un hotel.

Hice ocho minutos de Rodney Dangerfield y a la gente le encantó. Todo el mundo se despertó y empezó a reírse —¡mil gracias, Rodney!—. Sin embargo sabía que no podía pasar de Rodney Dangerfield a acciones y bonos, pero en ese momento no me hizo falta. Encendí el proyector y me fui directamente a la última diapositiva de mi presentación. Apareció en pantalla una foto de mis hijos.

—En esta sala se han presentado 59 fondos estupendos en los que ustedes pueden invertir, todos ellos dignos de su atención. No obstante, nuestro fondo es el único que tendrá un impacto directo en su cuenta bancaria y en la salud y en el bienestar de sus hijos y nietos. Nuestro fondo ha ayudado a financiar más de 100 medicamentos para combatir las enfermedades más graves que acechan a nuestro mundo, incluyendo cáncer de mama, cáncer de próstata, diabetes, sida, hemofilia, anemia drepanocítica y enfermedades genéticas que nos afectan a todos, independientemente de dónde seamos. No invertimos sólo para sacarle partido a su dinero, sino para mejorar el mundo en el que vivimos para las generaciones venideras.

Ni que decir tiene que mi presentación tuvo impacto. Cuando acabé me vi rodeado de gente. Algunos querían saber más acerca de nuestro fondo, otros querían invertir directamente en él. Uno de los últimos fue un productor de Hollywood que tenía una larga lista de éxitos de taquilla en su haber.

—No estoy muy seguro de lo que vende —me dijo—, pero le veo con tanta confianza en ello que quiero participar. ¿Cuál es el importe mínimo?

Una semana más tarde depositó 500.000 dólares en nuestro fondo.

Quien realmente supuso un cambio importante en mi carrera profesional, no obstante, fue otro caballero que se acercó y se me presentó aquella noche. Era Michael Shimoko, vicepresidente de Sparx Asset Fund Services, Inc., que sería mi colega y colaborador en muchos negocios con empresarios japoneses. Michael no fue sólo un contacto importante, sino que también se convirtió en un gran amigo. A través de Michael conocí a su jefe, el señor Shujei Abe, fundador, presidente, y consejero delegado de Sparx Asset Management, Co, Ltd., con base en Tokio y oficinas en Estados Unidos, Bermuda y Ginebra. El señor Abe, que anteriormente gestionaba el dinero de George Soros en Japón, es un hombre de integridad y dignidad tales que el mero hecho de que te asocien con él te abre las puertas al escalón superior del mundo empresarial japonés. Después de conocer al señor Abe, me surgieron miles de oportunidades empresariales, oportunidades que cambiaron mi vida.

Conocía a Michael Shimoko, y más tarde al señor Abe, porque decidí salir de una situación en la que el protocolo me llamaba a ser conformista, a limitarme a hablar de hechos y cifras como si fuera una mera fuente de información. Y en lugar de hacer todo eso, di un paso más allá, fui una persona, con su propia personalidad y su propia conciencia de las condiciones que le rodeaban. Pasé de hacer lo que se esperaba de mí a hacer lo que pensaba que debía hacer, siendo yo mismo.

5. El poder transformador de nuestra carrera profesional

Creo firmemente que centrarse en un área específica de nuestra profesión y adquirir conocimiento y habilidades únicas es un paso esencial para lograr una carrera de éxito. También es un paso importante en nuestra evolución como personas. De cierta manera, en mi opinión estamos ante uno de los objetos fundamentales de la vida: descubrir y expresar quiénes somos realmente. Si todos venimos de un Creador infinito, entonces parte de nuestro objetivo en la vida debería ser sacar a la luz todo el talento y habilidad que Él nos concedió en su día. La red de la vida, en mi opinión, ofrece a cada uno una serie única de lecciones, retos y oportunidades que van apareciendo a lo largo del tiempo. A medida que vivimos cada una de esas experiencias con honestidad y valentía, nuestro talento, habilidad y capacidad de entendimiento van emergiendo de forma más clara.

Gradualmente vamos convirtiéndonos en las creaciones únicas que somos. Ese ser único que no sólo posee un conjunto único de habilidades y experiencias, sino que también alberga una serie fundamental de valores. Los valores, como dije en el capítulo 2, son lo que realmente diferencian a una persona feliz y con éxito de otra que se limita a ganar dinero. En efecto, hay gente que progresa haciendo daño a aquellos con los que hace negocios, esas personas harán pocas operaciones o ninguna, y tendrán que esconderse o desviar la mirada cada vez que se crucen con un antiguo cliente. Yo no podría vivir así.

En un sentido práctico, nuestra carrera profesional es un camino de transformación. Para convertirnos en la persona de negocios buena y con éxito que deseamos ser tenemos que crecer como personas. Independientemente de la filosofía de vida que tengamos y del negocio al que nos dediquemos, nuestros actos, tanto a nivel profesional como a nivel personal, acabarán por definirnos. Ésta es una verdad inevitable sobre la vida: al final todos acabamos siendo personas claramente definidas. Nuestras experiencias, pericias, pensamientos, emociones, valores y motivos nos afectan de una forma tan profunda que todos llegamos a estar claramente definidos. Al final no podemos escapar de quienes realmente somos.

Si nos especializamos en un campo específico probablemente lograremos poder y éxito, es casi inevitable. Lo que hagamos con ese éxito y con ese poder determinará la clase de persona que somos. Hay que apuntar alto.

He estudiado la vida de muchos empresarios de prestigio y he visto cómo un valor o un interés personal —algo que apareció muy pronto en la vida de la persona— acaba siendo el factor más importante del éxito de la persona. A. P. Giannini, el fundador de Bank of America, es un buen ejemplo de ello.

La historia de Giannini es como la de George Bailey de la película *¡Qué bello es vivir!* Nacido en 1870 en San José, California, Amadeo Peter Giannini perdió a su padre cuando tenía siete años, dejó la escuela cuando tenía 14 y se metió en el negocio de su padrastro. Giannini procedía de un entorno humilde. Creció en barrios de inmigrantes y ese tipo de gente era la que le importaba a Giannini, la gente a la que siempre quiso ayudar si algún día llegara a tener la oportunidad de hacerlo.

Con el tiempo, el éxito llegó al negocio de Giannini y de su padrastro, gracias en gran parte a la reputación de persona justa y generosa de A. P. Cuando cumplió los 31, A. P. vendió su parte del negocio a sus empleados y ocupó un puesto en el Consejo de Administración de Columbus Savings and Loan Society, un pequeño banco en North Beach ubicado en un barrio de inmigrantes italianos.

En aquellos tiempos, los bancos se dedicaban exclusivamente a los ricos. Las hipotecas, los préstamos para la compra de coches y los créditos para la creación de empresas

estaban fuera del alcance del norteamericano medio. Giannini quería cambiar esto. Él se había criado entre esa gente y
sabía que era gente de confianza. Los bancos deberían ayudar
a esas personas, dijo a los miembros del Consejo. Lamentablemente, los de Columbus S&L no veían las cosas como Giannini y se negaron a cambiar sus arraigadas costumbres. A. P.
reaccionó abandonando el Consejo. Se buscó a diez amigos,
más su padrastro, y reunió el dinero necesario para crear su
propio banco, que abrió justo en la acera de enfrente de Columbus S&L. Tras abrir sus puertas, A. P. fue puerta a puerta
pidiendo a la gente que depositara su dinero en su banco y
prometiéndoles que les ayudaría a cumplir sus sueños de comprar una casa, un negocio o crear una empresa.

Prestaba dinero a gente a la que otros bancos jamás lo
harían: americanos medios con un trabajo pero que, sin la
ayuda del banco, jamás podrían reunir suficiente dinero para
comprarse una casa. También ayudaba a gente con buenas
ideas empresariales y sin dinero para llevarlas a cabo. Entre
ellos se encontraban las familias que iniciaron el sector del
vino en California del Norte. También respaldó al sector del
cine; detrás de la creación de United Artists estaba el dinero
de su banco. También ayudó a Walt Disney cuando el anima-
dor solicitó dos millones de dólares de presupuesto para
Blancanieves. En retrospectiva, estas decisiones parecen no
tener mucho mérito, pero a principios de los años veinte, los
actores, artistas, pequeños empresarios y demás gente corriente eran personas no gratas para los bancos.

Por supuesto, el banco de Giannini prosperó. Se puede
decir que creaba buen karma. Finalmente, compró otros bancos, incluyendo la institución prestamista más antigua de
Nueva York, el Bank of America. Aun así, incluso cuando su
banco era un gran negocio, nunca dejó de lado el principio
fundamental que le llevó al éxito: prestar dinero a la clase

trabajadora americana, a la que siempre intentaba hacer un poco más rica o más desahogada. Una de las formas en las que hacía esto era fomentando que sus empleados y clientes compraran acciones de su propio banco.

Durante muchos años, y particularmente en las últimas etapas de su carrera, A. P. Giannini trabajó sin sueldo. Cuando el banco le sorprendió con un bono de un millón y medio de dólares lo donó íntegramente a la Universidad de California. Cuando murió, a los 79 años de edad, este hombre, que podía haber sido multimillonario, dejó una herencia de menos de 500.000 dólares y un gran legado de cómo utilizar el dinero para ayudar a la gente que lo necesita.

Nos especializamos en nuestras carreras profesionales y nos hacemos expertos por varios motivos: conocernos a nosotros mismos y expresar quiénes somos; adquirir autoridad, influencia y éxito económico; ayudar a los que amamos; aportar nuestro granito de arena tanto a nuestras profesiones como a los que nos rodean. Qué mejores palabras para nuestro epitafio que hemos utilizado todas nuestras habilidades, poder y éxito para hacer un mundo mejor.

Guía de usuario para la red de la vida

Un barco en puerto está a salvo, pero los barcos no están construidos para eso.

JOHN A. SHEDD

Las ideas que he intentado plasmar en este libro representan una forma de ver la vida. Pero lo que es más importante, son una forma poderosa de ejercer influencia sobre otros y sobre nuestro entorno para obtener la máxima recompensa de la vida. He intentado demostrar que la coincidencia indica la presencia de una oportunidad; que los valores alimentan la oportunidad y sirven como compás para el éxito y la realización personal; que el fracaso y el rechazo son condiciones temporales pero necesarias en el camino hacia el éxito; que el coraje para dar el salto en el momento oportuno es esencial para darnos cuenta de lo que deseamos realmente; que especializarse y ser uno mismo son los caminos más seguros hacia el poder y el éxito. En cada uno de estos capítulos he intentado ofrecer pautas prácticas. En este capítulo quiero dar consejos fáciles de seguir para hacer que, de alguna manera, hagamos que la red de la vida actúe siempre a nuestro favor.

En primer lugar, quiero decir que para sacarle el máximo partido a la vida hay que hacer conexiones positivas con personas y eventos. Por conexiones positivas entiendo el acto de ofrecer un apoyo constructivo a otros y a las situaciones a las que nos enfrentamos. Gran parte de la hazaña de conseguir que la red de la vida actúe a nuestro favor es crecer como personas, convertirnos en personas más sabias y más completas mediante el conocimiento, la madurez y las habilidades necesarias en el momento justo. Como ya he dicho antes, no hay forma de lograrlo sin evolucionar y desarrollar nuestras habilidades y nuestra personalidad. Ahora quiero darles algunos consejos útiles para lograr justo eso; quiero enseñarles algunas formas claramente definidas para acelerar nuestro desarrollo y aumentar nuestras posibilidades de éxito.

En este capítulo encontrarán 10 formas que les ayudarán a progresar en su carrera profesional más rápidamente y aumentar las coincidencias y las oportunidades que se presentan. En resumen, son 10 formas de abordar la vida, de hacer que ésta juegue a nuestro favor. Todas las personas de negocio pueden servirse de estos pasos independientemente de su nivel profesional. Algunas recomendaciones están dirigidas a jóvenes que acaban de empezar sus carreras profesionales y que están buscando su orientación. Indudablemente, es posible que ya estés aplicando algunas de mis recomendaciones, pero corroborar y fomentar nuestros esfuerzos nunca viene mal. También es posible que consideres que algunas de mis recomendaciones son irrelevantes. Lo que sí te pido es que intentes poner en práctica todos mis consejos. Mientras tanto, busca dentro de ti mismo para averiguar cuál es el siguiente mejor paso que debes dar. A veces, el mero hecho de hacer una acción positiva puede estimular nuevas ideas que de otro modo no se nos hubieran ocurrido nunca. Una acción positiva puede provocar una serie de eventos que hagan surgir una oportunidad que no hubiera sido posible anticipar. Lo más importante es aumentar el número de conexiones con otras personas y con su trabajo—, tener una actitud positiva a diario. Gracias a esta actitud positiva la vida inevitablemente nos brindará nuevas oportunidades.

1. Diez cosas positivas que puedes hacer

1.1. Asistir a conferencias

Yo, personalmente, asisto a conferencias profesionales por tres motivos: primero, para aprender y estar a la última en mi profesión. Si lo que quiero es conocer las tendencias importantes y ver dónde se desarrollan, una de las mejores formas de lograrlo es escuchar a los líderes del sector hablar sobre áreas específicas del negocio.

El segundo motivo es conocer a gente y hacer contactos empresariales importantes. Asistir a conferencias es una de las mejores formas de captar negocio y conocer a gente que puede proporcionarnos nuevas oportunidades.

El tercer motivo es buscar la inspiración. Muchas veces nuestra vida, especialmente nuestros problemas, pueden parecernos inabarcables. De vez en cuando, todos tenemos que hacer algo para salir del túnel y verlo todo en un contexto más amplio. Cuando lo logramos, experimentamos una sensación de gratitud, inspiración y una visión más amplia de nuestras vidas.

Hace poco fui a una conferencia sobre inversiones a la que asistió gente de la talla de David Rockefeller Jr. y otros de estatus similar. En esa conferencia tuve la oportunidad de escuchar al mejor orador que he conocido en la vida. Su nombre era el mayor Charles Plumb, un ex piloto de la Marina que se graduó en la escuela Top Gun y estuvo destinado en Vietnam durante la guerra. Cuando le faltaba menos de un mes para licenciarse le dispararon y fue capturado por los vietnamitas. En la prisión se encontró con otros 200 pilotos que, como él, estaban encerrados en celdas de 2,4 metros cuadrados. Para ilustrar lo pequeña que era su celda, el mayor Plumb dio toda su conferencia dentro de un marco de luz que reproducía las dimensiones de la celda. El mayor estuvo más de seis años en esa cárcel, y la mayoría de ellos los pasó dentro de esa pequeña celda.

Junto a los demás pilotos encarcelados había un joven marinero al que los vietnamitas capturaron al caerse por la borda de su barco cuando estaba atracado en el Mar del Norte de China. A diferencia del resto de los prisioneros, el marinero tenía una perspectiva muy diferente de su encarcelamiento. Le gustaba decir que no había sido capturado sino rescatado. El mayor Plumb explicó cómo la gente puede vivir las mismas condiciones de forma diferente haciendo reír a su audiencia.

Cuando el mayor recibió el tiro salió disparado de la cabina de su avión y llegó a tierra gracias a que su paracaídas se abrió correctamente. Había sido entrenado para contar las piezas que se abrían durante la caída para asegurarse de que todas estaban abiertas, no fuera a ser que el paracaídas colapsara de repente y fuera objeto de una muerte segura. Todas las piezas se abrieron cuando cayó, y él dio las gracias en silencio al joven soldado que había empaquetado su paracaídas aquel día, alguien a quien no conocía.

Una vez en tierra, el mayor fue capturado, encarcelado y torturado en una cárcel vietnamita. Una de las cosas que hizo para mantenerse vivo fue pensar en las comidas que se pegarían él y su mujer cuando volviera a casa. Plumb se casó justo antes de marcharse a Vietnam. Todos los días pensaba en los desayunos, comidas y cenas que se daría cuando volviera a los Estados Unidos Se imaginaba las tortitas con huevos (sin arroz). Grandes sándwiches *delicatessen* con patatas fritas (sin arroz). Filetes con patatas (sin arroz). Postres (sin arroz).

El joven marinero que fue capturado con Plumb fue puesto en libertad mucho antes que los pilotos —no representaba tanto para sus captores como los pilotos de la Marina—. Pero mientras el joven estuvo en prisión memorizó los nombres, números de teléfono y direcciones de todos sus compañeros de cárcel, incluyendo los del mayor Plumb. Una vez fuera, el joven se dedicó a recorrer el país visitando a las familias de cada uno de los 200 prisioneros. Les contaba cómo estaban sus seres queridos y les garantizaba que estaban vivos y en buen estado de salud y que pronto serían puestos en libertad. Ese marinero que fue considerado el más raso en la escala de la cárcel —al fin y al cabo tenía el rango más bajo— se convirtió en el hombre más importante de aquella cárcel gracias a su nobleza. Mientras el mayor contaba su historia no se oía ni el más mínimo movimiento en aquella sala de hotel. Me dije a mí mismo que tenía que tener una charla con el encargado de la sala de conferencias de nuestra empresa, sin duda es la persona clave de cualquier organización.

Finalmente, el mayor Plumb fue puesto en libertad. Cuando llegó a casa se encontró con que su mujer le había dejado y se había casado con otro. Llegó a esperarle durante cinco años, pero se cansó de esperar, encontró a otro hombre y se casó con él. El mayor le dijo que lo entendía y siguió adelante con su vida.

Un día, cuando estaba en un restaurante en la región central de los Estados Unidos, un joven se le acercó y le tendió la mano.

—¿Mayor Plumb? —le preguntó.

El mayor le dio la mano, pero tuvo que admitir que no le conocía.

—Soy el chico que empaquetó su paracaídas el día que le capturaron. Espero que todas las piezas se abrieran correctamente, señor —dijo el joven.

—En una organización —dijo también el mayor Plumb en su conferencia—, todos los eslabones de la cadena de mando son esenciales. Cada persona desempeña un papel fundamental y puede marcar la diferencia entre el éxito y el fracaso, —y en el caso de la vida militar, entre la vida y la muerte.

El coraje extremo del mayor Plumb, su sufrimiento y su resistencia enalteció a todos los que le estábamos escuchando, porque era una afirmación viva de la capacidad del ser humano para conservar el ánimo y del potencial heroico que tenemos todos los hombres. También logró que enfocara con perspectiva todos mis problemas. Después de escuchar al mayor Plumb, me sentí infinitamente agradecido por mi vida, incluidos todos sus pequeños detalles.

Cuando el mayor acabó su presentación, me acerqué a él y le di las gracias de corazón por su inspiración, por su sacrificio y por la persona que era, a pesar de todos los retos que tuvo que afrontar que, seguro, habrían destrozado a un hombre con menos entereza que él.

En otra conferencia, conocí y hablé un rato con Mikhail Gorbachov, el ex presidente de la Unión Soviética y el hombre que sacó al mundo de la guerra fría. Todos los que hablaban con Gorbachov se enzarzaban en discusiones políticas. Muchos querían conocer su opinión sobre uno u otro tema. Otros querían aconsejarle. En mi caso, estaba tan abrumado con conocer a ese hombre que lo único que se me ocurrió hacer cuando me lo presentaron fue contarle un chiste. Era un poco picante y con tintes políticos y le encantó. Tengo una foto estupenda de los dos en la que él se está partiendo de la risa.

Otro gran líder mundial al que tuve el placer de conocer en una conferencia fue Alexander Haig, el ex secretario de Estado de Estados Unidos y comandante en jefe de la OTAN. El general Haig fue consejero de varias empresas de las que somos socios. Tuve el placer de acompañarle en varias reuniones de negocios y conferencias y tuve la oportunidad de hablar con él largo y tendido. Me contó que a cambio de su trabajo en estas empresas recibe un pequeño sueldo y acciones. Si la empresa tiene éxito, él tendrá éxito. Si fracasa, él no cobrará. Una vez le pregunté al general Haig que por qué participaba en determinadas empresas.

—Sólo participo en empresas que tienen un impacto positivo en la sociedad. Si la empresa tiene éxito, entonces cobro; si no, no recibiré nada. Se trata de una relación en la que ganamos todos.

—En la guerra —continuó—, hay que ganar. Pero en tiempos de paz, las relaciones tienen que ser beneficiosas para las dos partes para que la paz pueda mantenerse.

En otra conferencia, el general Haig me presentó a otro líder mundial, Ariel Sharon, el primer ministro de Israel. En la conferencia no dudé en contarle a Sharon cómo pensaba que podría lograrse la paz en Oriente Medio; cómo los dos bandos podían llegar a una situación beneficiosa para ambos. No importaba que estuviera o no de acuerdo conmigo. Era mi responsabilidad como ciudadano responsable del mundo presionarle para que actuara en favor de la paz. Además, los líderes de esa región tampoco están haciendo un trabajo tan estupendo como para desperdiciar las buenas ideas que cualquiera pueda darles.

Además de conocer a mucha gente importante e inspiradora, estas conferencias me han proporcionado muchas oportunidades de negocio, así como la posibilidad de dar charlas en reuniones importantes del sector. Las conferencias representan una oportunidad para que gente con las mismas necesidades empresariales comparta ideas y recursos. Esas conferencias, en mi opinión, son las manifestaciones físicas de la red de la vida dentro de nuestro sector.

1.2. Hacer un curso de oratoria

El miedo a hablar en público es el miedo más común en el mundo de los negocios en Estados Unidos, seguido muy de cerca, por supuesto, por el miedo a la muerte. Recuerdo que Jerry Seinfeld hizo un chiste sobre el tema. Si hablar en público es el miedo más común en Estados Unidos, dijo Seinfeld, eso quiere decir que quien hace el panegírico en un funeral preferiría estar dentro del ataúd más que en el altar.

Es bueno grabarse en vídeo mientras se prepara una charla. Es una revelación, en serio. Muchos de los patrones de comportamiento que hacemos sin darnos cuenta —y que podríamos cambiar fácilmente— aparecen de repente claramente cuando nos vemos en la televisión.

Si aspiras a ser un líder en tu profesión, debes ser un buen orador. No hay más vuelta de hoja. Hay muchos cursos de oratoria. Haz uno. Puede que sea el curso más importante de tu vida.

1.3. Leer, leer, leer

Recuerda lo que le pasó al doctor Morris Laster, al que cité en el capítulo 4. Morris ayudó a fundar Neose, una empresa valorada en más de 600 millones de dólares, porque leyó un artículo en el *Wall Street Journal* sobre un científico que hizo un descubrimiento pionero. Hay muchas más oportunidades en los periódicos, revistas y artículos de lo que jamás podremos llegar a pensar y aprovechar. Si apreciáramos y desarrolláramos aunque sólo fuera una mínima parte de ellas, tendríamos el éxito garantizado.

La lectura es la base para entender a la gente y al mundo. Nos abre las puertas a nuevas formas de pensar, a culturas y gentes diferentes y a nuevas oportunidades que el mundo nos ofrece y que de otra forma nunca descubriríamos.

En mis clases siempre animo a todos los jóvenes a que cojan el hábito de leer publicaciones como *Business Week, Forbes* y *The Wall Street Journal.* Además de enterarse de las noticias empresariales, identificarán a las 100-500 empresas más importantes de Norteamérica, empresas que ofrecen nuevos horizontes profesionales y nuevas oportunidades de inversión.

Además, recomiendo los siguientes diez libros para conocer mejor las bases del mundo de los negocios:

Speaking Secrets of the Masters, de The Speakers Roundtable, escrito por veintidós de los ponentes profesionales más importantes del mundo (Executive Books, 1995). El mejor libro de asesoramiento para hablar en público escrito por personas que han hecho de la oratoria un arte. Una guía esencial para cualquiera que tenga aspiraciones en el mundo de los negocios.

Patton on Leadership, de Alan Axelrod (Prentice-Hall, 1999). La toma de decisiones en el mundo de los negocios y en el mundo militar tiene mucho en común. Patton sabía cuándo avanzar, cuándo llamar a retirada y cuándo mantenerse firme. Lee este libro y aprende sus secretos. Te llevarán mucho más lejos de lo que jamás hayas pensado.

Sun Tzu's Art of War for Traders and Investors, de Dean Lundell (McGraw-Hill, 1997). Una fantástica guía que muestra cómo aplicar la antigua filosofía militar a la gestión del dinero y a las inversiones.

What They Don't Teach You at Harvard Business School, de Mark H. McCormack (Bantam Books, 1984), publicado en español con el título *Lo que no le enseñarán en la Harvard Business School* (Grijalbo, 1985). Un minicurso sobre el mundo de los negocios y preparación para los MBA. Lo leo al menos una vez al año para refrescar mis ideas.

The Lexus and the Olive Tree, de Thomas L. Friedman (Farrar, Straus and Giroux, 1999). Un gran curso sobre cómo la historia y las decisiones geopolíticas afectan a la macro y microeconomía del siglo XXI.

Small Miracles, de Halberstam & Leventhal (Adams Media Corporation, 1997). Este libro te convertirá a la fe. Los que aún creen en milagros pueden experimentarlos.

The Emperors Chocolate, de Joel Glenn Brenner (Broadway Books, 1999). Un libro sobre la empresa y la familia Hershey, una de las grandes historias de la empresa americana. Para todo el que quiera entender de verdad lo que significa competitividad y la importancia de los valores en los negocios.

Tuesdays with Morrie, por Mitch Albom (Doubleday Books, 1997), publicado en español con el título *Martes con mi viejo profesor* (Maeva, 2002). Leí este libro en un crucero mientras me recuperaba de una operación de espalda. De vez en cuando hay que leer algo que nos devuelva la perspectiva de las cosas, algo que nos recuerde qué cosas son realmente importantes. Este libro consigue justo eso. Además, las pautas que da del libro pueden aplicarse a cualquier aspecto de nuestra vida, incluyendo nuestra profesión y nuestra vida empresarial.

Life's Little Instruction Book, de H. Jackson Brown, Jr. (Rutledge Hill Press, 1993). Michael Milken me dio este libro y cambió mi vida. Al principio pensé que era un simple regalo, pero cuando lo leí me di cuenta de lo que significaba. Intimar con la vida y con sus muchos pequeños detalles y normas es la base para vivir en armonía con la tierra.

My American Journey, de Colin L. Powell (Random House, 1995). Un gran libro escrito por un gran líder. Al leer la última página comprobarás la faceta visionaria de este hombre.

Para triunfar en los negocios hay que ser una persona polifacética con intereses fuera del mundo de los negocios, en el mundo de la ciencia, la política y la literatura popular.

1.4. La historia es importante

Hay básicamente cuatro niveles de historia: nuestra propia historia personal, la de nuestra familia, la de nuestro país y la del mundo. Deberíamos saber algo de las cuatro.

Las primeras dos historias que deberíamos entender son nuestra propia historia y la de nuestra familia. Todas las familias tienen sus tradiciones, sus puntos fuertes y —como a mi familia le gusta decir— sus rarezas (o sus locuras). Conocer nuestra historia familiar es realmente un acto que honra tanto a nuestra familia como a nosotros mismos. Aunque procedamos de la familia más baja y descabellada del mundo, deberíamos conocer y entender la historia de nuestra familia y cómo nos hemos desarrollado en ella. Los que conocen su historia familiar se entienden mejor a sí mismos, sus puntos fuertes y sus flaquezas. También entienden mejor cómo aparecieron esos puntos fuertes y esas flaquezas. Son capaces de verse con perspectiva y por lo tanto pueden manejar mejor muchas situaciones de forma más equilibrada y constructiva.

Uno de los actos transformadores más positivos que puedes hacer es escribir un diario. Hay estudios científicos que demuestran que la gente que escribe diarios resuelve asuntos emocionales con más soltura y tiene una mejor salud mental. Escribir un diario sirve para documentar hechos importantes y tendencias en nuestra vida, para explorar nuestros sentimientos, dejar fluir nuestras emociones, frustraciones y estrés y para tener una visión objetiva de la situación a la que nos enfrentamos. No hay muchas cosas, aparte del ejercicio y una dieta saludable, que hagan tanto por nuestro bienestar psicológico y que nos ayude a conocernos mejor. Escribir un diario, por supuesto, puede considerarse como una forma de registrar nuestra propia historia personal. Es un registro del drama humano que vivimos cada día.

Los siguientes dos niveles de la historia, por supuesto, son la historia de nuestro país y la historia mundial. Una de las grandes pérdidas de la cultura moderna es que nos hemos negado a conocer la historia de nuestro país, incluso la historia de nuestro pasado más inmediato. Me siento más frustrado que entretenido cuando veo cómo Jay Leno, en su programa «Tonight», pide a la gente por la calle de Los Ángeles que identifique las caras de importantes líderes políticos o que cite hechos de nuestro pasado inmediato. Muy pocos son capaces de identificar a los líderes más importantes de Estados Unidos y del mundo, y muchos menos pueden responder preguntas fáciles sobre la historia nacional. Somos un país que ha perdido su pasado y cualquier sentido de nuestra posición en los acontecimientos mundiales, lo que significa que no entendemos nuestras responsabilidades para con el futuro. Es una situación peligrosa para cualquier nación, pero resulta absolutamente imperdonable para la democracia más importante del mundo.

Cualquiera que viaje sabe que los europeos y los asiáticos conocen tanto su propia historia como la historia del mundo y la historia y la actualidad de Estados Unidos. No se trata sólo de los intelectuales de estos continentes, sino de los típicos ciudadanos medios que puedes encontrarte por la calle. Esta gente no sólo conoce su propia historia, sino que también conocen el folclore o la mitología que hay detrás de lugares y hechos importantes. Para los europeos y para los asiáticos, la historia sirve para mantener sus tradiciones y afianzar sus raíces en sus propias comunidades. Los afianza y los conecta entre sí. No pretendo sugerir que estas costumbres no tengan sus sombras —ni los europeos ni los asiáticos son tan innovadores como los americanos— ni quiero glorificar otro país que no sea el mío; muy al contrario: si entendiéramos mejor nuestra propia historia, y la historia mundial, tendríamos más aprecio por el país en el que vivimos y sabríamos potenciar su futuro.

Donde hay un problema también hay una oportunidad. A pesar de que la historia es a menudo despreciada, debemos recordar que puede afectar en gran medida a nuestra forma de ver el mundo. Los que saben algo de historia tienen una visión mucho más amplia de la vida. Son personas más educadas y capaces. Destacan en discusiones públicas y es más probable que se les identifique como líderes. Por supuesto, el hecho de conocer nuestra historia tiende a separar a la gente, lo que hace que parezcan más cultos, más sabios y más capaces en otras áreas de la vida.

La historia nos enseña qué han hecho otros en situaciones difíciles, cómo han razonado, qué fuerzas les han empujado a adoptar esta u otra decisión. La historia es una gran maestra. La gente del pasado nos sirve de modelo para saber cómo deberíamos o no actuar. Son una gran fuente de inspiración. Somos testigos de su coraje, honor, sacrificio, cobardía, traición y mentiras. Está todo ahí, bien guardado entre las tapas de un libro.

Siempre hay libros de historia entre la lista de los libros más vendidos, ya sea un libro sobre una persona, sobre un determinado período o una novela histórica. El mejor consejo que puedo darte es que en lugar de leer historias generales del mundo, te centres en un período particular, o en una biografía, o en la vida y época de un presidente en particular, y leas un best seller sobre el tema, un libro de ficción o de no ficción. Animo a la gente a leer al menos tres libros de historia al año. Además, lee los periódicos todos los días, sin falta. El periódico es una afirmación diaria de la historia mundial,— de la de tu comunidad, tu provincia, tu país y del mundo. Abrirá tu mente como pocas cosas lograrán hacerlo.

La ironía es que cuando la historia se presenta correctamente, la gente se muere por conocerla. Una discusión sobre historia siempre ensalza la condición de vida de la gente que participa en ella. La historia inspira a la gente. Los que no saben historia pero atienden a estas discusiones, automáticamente se dicen a sí mismos que quieren entender mejor la historia. ¿Por qué? Porque hay algo en el espíritu humano que desea entender y aprovechar su propio pasado. Deseamos entender el comportamiento de otra gente y saber cómo surgió el orden o el desorden actual en el que vivimos. Haz este experimento. Lee un best seller, memoriza los detalles de un evento, conversación o batalla importante y a continuación descríbelo sin pretensiones pero con detalle durante tu próxima cena con amigos. Verás cómo reacciona la gente. Les fascinarás.

1.5. Aprender un segundo idioma

Esto es lo que les digo a todos mis estudiantes de empresariales a los que doy clases o que se acercan a pedirme consejo: dominad las materias del curso y apuntaros a clases de un segundo idioma. Cuando acaben las clases podréis volar solos.

El mundo es cada vez más pequeño. Los negocios son cada vez más internacionales. La próxima generación de líderes empresariales será sin duda bilingüe. Aunque a menudo aprender un segundo idioma resulte un poco aburrido, tómatelo como un hobby. Viaja a los lugares donde se habla ese idioma y verás cómo el mundo se abre ante tus ojos.

Los mejores dos idiomas para aprender actualmente —además del inglés, por supuesto— son el español y el chino. Estos idiomas te abrirán las puertas a las futuras dos grandes esferas de los negocios internacionales. El mundo hispanohablante y el chino serán las futuras grandes potencias empresariales del siglo XXI. Por lo tanto, los que puedan comunicarse en el idioma de estos países estarán muy demandados.

1.6. Establecer objetivos y lograrlos

Establece objetivos alcanzables a corto plazo, así como objetivos a un año, tres años y diez años. Consígnalos por escrito e indica cómo puedes lograr cada uno de estos objetivos. Al poner por escrito los objetivos y definir claramente cómo puedes lograrlos estás marcándote el camino para cumplir tus ambiciones. El proceso de escribir tus objetivos y definir cómo lograrlos te llevará a obtener una mayor claridad y visión —estás viendo qué cosas quieres para tu vida y cómo lograrlas.

Sé lo más claro y definitivo posible sobre tus ambiciones a corto plazo. En muchos casos se tratará de ambiciones tangibles: el deseo de comprar un determinado coche, una casa, o conseguir ahorrar cierta cantidad de dinero en el banco. Hay objetivos que te ayudarán a identificar tus deseos más emocionales: tener un compañero al que amas, crear una familia, pasar más tiempo con la gente que quieres. También hay objetivos profesionales: el deseo de aprender ciertas artes, aprender más, obtener un título, cambiar de trabajo, obtener un ascenso, crear tu propio negocio. También hay muchos objetivos destinados a nuestro desarrollo emocional, psicológico y espiritual: superar un cierto hábito o hábitos, desarrollar un determinado talento, hacer las paces con alguien, pasar más tiempo pensando tranquilamente, asistir a más servicios espirituales, estudiar nuestra propia tradición espiritual o religiosa, adquirir mayor ecuanimidad y paz interior.

Estos ejemplos representan una ínfima parte del ilimitado número de ambiciones que todos tenemos en nuestra vida. La gran mayoría de los que dicen que no tienen objetivos en la vida no se conocen a sí mismos lo suficiente como para saber qué quieren o qué necesitan. No tienen ni idea de lo que quieren ser. Su principal objetivo es sobrevivir, lo cual no es apuntar muy alto, pero es fácil de lograr, al menos durante un tiempo. Mientras tanto, simplemente esperan. Para sacar el mayor partido a la vida, necesitas tener objetivos, aunque no logres alcanzar casi ninguno de ellos.

Antes de fijarte un objetivo, céntrate en lo que necesitas, en lo que quieres, en las circunstancias que rodean a tu vida y en quién quieres convertirte. Déjate llevar por las circunstancias. Permítete el lujo de sentir y contemplar lo que necesitas en este momento y verás cómo esas necesidades tienen relación con tus ambiciones a largo plazo.

Cuando se trata de establecer objetivos a corto plazo, no hay que poner el listón muy alto. Es mejor ponerse objetivos importantes, significativos y vitales —cosas que queremos lograr y que mejorarán nuestra vida—. Lograr objetivos es como ejercitar un músculo —el músculo del poder personal podríamos llamarlo. Cuantos más objetivos logremos, más cuenta nos daremos de nuestro poder para alcanzar el tipo de vida que queremos vivir y convertirnos en el tipo de persona que queremos ser.

Piensa cómo sería tu vida una vez logrados esos objetivos inmediatos o a corto plazo.

A menudo puede resultar útil estructurar nuestra vida en distintas categorías: la familia, la economía e inversiones, la vida profesional, la casa, la salud física, las posesiones, el plano emocional, psicológico y espiritual. Pon estas categorías por escrito en tu diario y luego haz una lista de las cosas que deseas lograr en cada uno de los distintos ámbitos de tu vida. Una vez hecho esto, organiza estas ambiciones en objetivos a uno, a tres y a diez años.

En la medida de lo posible tus objetivos deben estar ordenados de forma que a corto plazo no sólo se refieran a tu supervivencia, sino que te sirvan para lograr tus ambiciones a largo plazo.

Los objetivos son la brújula de la vida. Son los puntos de referencia en función de los cuales debemos decidir qué dirección seguir. Es importante recordar que independientemente de lo cercano que esté un objetivo, o lo lejano que pueda parecer, todos los objetivos a los que dediquemos tiempo y energía afectarán a nuestra vida para bien o para mal. Al final somos lo que hacemos con nuestro tiempo y energías. Si dedicamos tiempo suficiente a una ambición particular, tendremos muchas posibilidades de alcanzarla. Pero recuerda el viejo refrán: cuidado con lo que desees, porque puede hacerse realidad. Otro refrán parecido dice: se derraman más lágrimas por las plegarias atendidas que por las plegarias no atendidas.

Una de la cosas más importantes a la hora de lograr nuestros objetivos a corto plazo es que seremos testigos de cómo creamos nuestra propia vida y de cómo podemos convertirnos en la persona que deseamos ser.

1.7. Ser proactivo, no reactivo

Cuando nos encontramos en un estado reactivo a menudo nos sentimos como si fuéramos víctimas de una fuerza mayor que nos arrolla. El motivo es muy sencillo, para cuando nos enfrentamos al problema, éste ya se ha convertido en toda una crisis. Llegados a este punto, nos vemos obligados a reaccionar cuando el problema está en su punto más crítico. Estamos ante un verdadero monstruo que nos llevará mucho tiempo y energías vencer.

Ser proactivo significa abordar un problema de forma directa, de forma activa, con visión y liderazgo. También quiere decir afrontar los problemas antes de que se conviertan en crisis.

La verdad es que siempre tendremos problemas y crisis independientemente de lo proactivos que seamos. Hay dos cosas importantes que decir al respecto: en primer lugar, sé proactivo para limitar el número de crisis a afrontar, y en segundo lugar, sé proactivo cuando se trate de alcanzar tus objetivos. El hecho es que si no eres proactivo frente a tus objetivos, tendrás muy pocas posibilidades de alcanzarlos.

1.8. Guardar las tarjetas de visita

Crea en tu archivo una carpeta para cada profesión con la que tienes contacto habitualmente —profesionales del capital riesgo, operadores, gestores de fondos, doctores, abogados, fontaneros y electricistas, por ejemplo— y coloca las tarjetas de visita que vas recibiendo en su archivo correspondiente según la profesión. Cuando te encuentres con alguien que te haya impresionado y con el que te gustaría trabajar, inclúyelo en tu archivo por su nombre y por su profesión. (A menudo me olvido del nombre de las personas, pero lo recuerdo cuando lo vuelvo a ver u oír.)

Por supuesto, crea tu propia tarjeta de visita —aunque aún estés en la universidad— y entrégala cuando lo creas oportuno. Las tarjetas de visita son una de las muchas formas de moneda de cambio que existen en la red de la vida.

1.9. Escoger un deporte, practicarlo con asiduidad y destacar en él

Un líder debe estar en forma y cuidar su cuerpo. Tu carrera profesional te exigirá mucho esfuerzo físico. Presión de plazos, largas horas de trabajo, retos constantes, autodisciplina y largos viajes son algunas de las exigencias que deberás afrontar. Todas estas exigencias crean una tensión física que sirve de caldo de cultivo para muchas enfermedades y adicciones. Generalmente liberamos esta tensión física utilizando la comida, el alcohol, las drogas y otras formas de comportamientos adictivos como vías de escape. A mí me gusta la buena comida y el buen vino o cerveza como al que más, pero también soy consciente de que hacer de mis gustos un hábito puede acabar con mi carrera y con mi vida. El único y el mejor antídoto que he encontrado contra estas conductas es el ejercicio regular y enérgico.

Nado cuatro o cinco veces por semana a la hora de comer. Me da tiempo a llegar a la piscina, nadar, ducharme y volver a la oficina en menos de una hora. Puedo comer en mi despacho. Cuando viajo, voy siempre al gimnasio del hotel en el que esté. El ejercicio es una forma fantástica de eliminar el *jet lag* y de mantenerse despierto mientras se está fuera de casa.

Todos necesitamos una salida saludable para la tensión acumulada. En mi opinión, el mayor impedimento para hacer ejercicio regularmente es no haber encontrado el deporte que le va a cada uno. La consecuencia es que mucha gente ve el ejercicio como una especie de tortura, que es lo que se siente realmente si uno no disfruta mientras hace ejercicio. La única solución es encontrar un deporte o un ejercicio que nos guste y a la vez nos mantenga en forma. Entre los deportes que nos pueden dar placer y mantenernos en forma al mismo tiempo se incluyen el tenis, el golf, el pádel, el squash, el baloncesto, la natación y varias formas de artes marciales, como el taichí (un arte marcial chino que se asemeja a la danza).

Está científicamente demostrado que los que hacen ejercicio con regularidad viven más y son menos propensos a la depresión y a otros estados emocionales negativos. Con el ejercicio se adquiere una mayor agudeza mental, fundamental para nuestro éxito y felicidad. Se está en forma y se goza de mejor salud. Se tiene mucha más vitalidad y energía, características esenciales para el liderazgo.

He citado los beneficios físicos y mentales de hacer ejercicio en primer lugar porque son los beneficios más importantes. Pero no hay duda de que algunos deportes son especialmente importantes en el mundo de los negocios, especialmente el golf, el tenis y el frontón. Conocí a un tipo que era muy bueno jugando al golf. Tenía un hándicap de dos y le contrataron antes que a otro tipo que tenía un MBA en Harvard.

Todo lo que necesitas es 20 minutos de ejercicio aeróbico al día. Si aún no haces ejercicio, empieza a hacerlo y verás cómo cambia tu vida.

1.10. Ser generoso

Mira hacia atrás y toma conciencia de lo lejos que has llegado, de lo que has ayudado a otros y de quién te ha ayudado a ti a estar donde estás. Casi todos nos hemos enfrentado a muchas dificultades en nuestras vidas; nos hemos enfrentado a grandes obstáculos y hemos podido sobrevivir. Si te paras a pensar lo que te ha costado y todo lo que has conseguido, volverás la vista atrás y darás las gracias a todos los que te ayudaron a llegar donde estás. Lo primero es reconocer verdaderamente lo que somos y qué hemos conseguido. La gratitud es una reacción natural a este reconocimiento.

La gratitud nos ayuda a relajarnos y a reconocer el bien que hay en nuestra vida y en la de los demás. No se puede gozar realmente de la vida sin reconocimiento y gratitud. Pocas cosas obtienen respuestas tan positivas de la red de la vida como la gratitud. Una persona que nos expresa su gratitud por nuestros servicios hace que nos sintamos mejor, no sólo hacia esa persona, sino respecto al servicio que le hemos prestado. Que la gente nos agradezca cosas nos hace sentirnos mejores con nosotros mismos. Los que no logren obtener esa gratitud se sentirán como si nada de lo que hicieran fuera suficientemente bueno y acabarán por arruinarse la vida.

Una de las formas de obtener gratitud en esta vida, en mi opinión, es evocar a alguien que nos haya marcado en el pasado. En mi caso, la lista de personas que me ayudaron en momentos cruciales de mi vida es muy larga. A algunas de esas personas ya las he mencionado en este libro. No obstante, mi lista de personas a las que estoy eternamente agradecido está encabezada por mi madre. Cuando miro atrás y me doy cuenta de cuánto trabajó para que mis dos hermanos y yo tuviéramos una vida digna, me maravillo y siento un infinito amor y una inmensa gratitud hacia ella.

Yo nací en Brooklyn y pasé allí mi más tierna infancia; después nos mudamos a Long Island, donde fui a la escuela primaria, secundaria y al instituto. Mi madre hizo posible nuestra vida durante esos años. A pesar de que mi padre era el que traía el pan a casa, mi madre trabajaba mucho más que él. Y lo mejor de todo es que nunca se quejó, nunca renegó de haber escogido ser madre; al contrario, nos quería con todas sus fuerzas. Cuando me paro a pensar en su agenda diaria, me canso sin remedio...

2. Un día de trabajo cualquiera

6:15 Mi madre se levanta 15 minutos antes de lo necesario porque papá está en el baño con la radio puesta o en la ducha.

6:30 En bata, pone la mesa y le prepara el desayuno a papá. También prepara el almuerzo de sus tres hijos para que se lo lleven al colegio.

6:45 Despierta a mis hermanos Eric y Douglas y a mí.

7:15 Mamá lleva a papá a la estación de tren de Long Island para que pueda tomar el tren de las 7:20 o de las 7:32 a Manhattan.

7:30 Vuelve a casa, se asegura de que hemos acabado de desayunar, de que nos hemos vestido correctamente y de que llevamos los deberes al día. Le da a Eric un dólar para el almuerzo por si no se comiera el bocadillo de mantequilla con mermelada que le ha preparado.

7:45 Me da mi almuerzo —un sándwich, un bollo y una bolsa de patatas— y voy caminando a la parada de autobús.

8:00 Lleva a mi hermano pequeño a la parada de autobús.

8:15 Se ducha y se viste. Se toma un café y a veces le da tiempo a comerse una tostada.

8:30 Llama a su amiga Janet Diamond y habla con ella cinco minutos mientras quita la mesa que ha puesto para papá y para sus hijos.

8:45 Se marcha a su trabajo. Trabaja como librera.

15:15   Vuelve a su «castillo» —así llamaba ella a nuestra casa— y comprueba que sus hijos han empezado a hacer los deberes. También nos prepara la merienda.

16:00   Los lunes y viernes mi madre lleva a sus hijos y amigos a catequesis. Actividad que repetía los domingos por la mañana a las 9 y a las 11 de la mañana. Todo ello aguantando las quejas de sus hijos.

17:00   Dos veces por semana lleva a sus hijos a clases de piano. Yo di cinco años de piano y hoy sólo puedo tocar *Heart and Soul*. Era tan malo que mi padre me pagaba para que no tocara en casa cuando mi madre no estaba y él quería ver algo en la televisión.

17:30   Mi madre empieza a hacer la cena y da de cenar a sus hijos. Los miércoles tocaba espagueti Prince y albóndigas con salsa de tomate Ragu (va en serio).

18:00   Saca el coche para ir a la estación de tren a recoger a mi padre que ha tomado el tren de las 18:02. Algunos días él tomaba el tren más tarde y no podía avisarla de modo que ella volvía a por él a las 18:21 o a las 18:55. A veces mi padre se quedaba dormido en el tren y se despertaba en Wantagh o en Massapequa Park. Así que ella tenía que ir y volver a la estación hasta que él se despertara y se bajara del tren. No sé cómo pero acertaba casi siempre, lo cual sólo puedo atribuir a su buena intuición.

19:00   Pone la cena a papá y limpia los cacharros a las 19:30 o 19:40.

19:45   Se da una ducha o un baño, según el humor en el que esté.

20:15   Comprueba que sus hijos han hecho los deberes.

20:30   Finalmente llega su momento de relax. Ve en la tele el show de Merry Griffin.

Mientras veía la tele hacía la colada y la plancha. Los viernes la «ayudábamos» sacando la mesa y las sillas de la cocina para que ella pudiera barrer el suelo. Los sábados por la mañana pasaba la aspiradora. Mis hermanos y yo cortábamos el césped, recogíamos las hojas y quitábamos la nieve del porche. Aún recuerdo cómo mi madre nos mantenía secos durante nuestras guerras de nieve. Nos ponía bolsas de sándwich Glad en los calcetines antes de ponernos las botas. Después, cuando entrábamos en casa, nos esperaba una sopita caliente de champiñones Campbell con galletitas Ritz.

El trabajo de mi madre hizo posible que todos los miembros de nuestra familia hiciéramos lo que quisiéramos en la vida. Su amor y su trabajo hacían las veces de centro, de verdadero núcleo, de nuestra familia, que era la base de nuestras vidas.

Nunca podré devolverle todo lo que me ha dado. Así que vivo en un estado de gratitud perpetuo para con ella.

3. Todos tenemos alguien al que agradecer algo

Creo firmemente que todos hemos tenido a alguien en nuestra vida que nos ha dado más de lo que nosotros nunca hubiéramos podido darle a cambio. Además, seguro que el regalo de esa persona resultó esencial para nuestras vidas y nuestra felicidad. Esa persona puede ser nuestra mujer, nuestro marido, un hermano, una hermana, un tío, una tía o un amigo. Casi todos podemos estar agradecidos a toda esa gente y a mucha más.

Los regalos que nos hacen conforman una carga en cada uno de nosotros que marcará la diferencia en las vidas de otros. Nuestra gratitud debe adoptar una forma activa. Tú tienes que ser el que marque la diferencia en las vidas de los que te rodean, tus compañeros de trabajo y tus subordinados. Añade algo a sus vidas. Sé ese alguien al que la gente mire y diga «él cambió mi vida, me dio algo que nunca olvidaré». Y hazlo porque sabes que mucha gente ha hecho lo mismo por ti. Estos actos no sólo harán que tu vida sea más rica, sino que harán que la red de la vida juegue a tu favor.

En este libro he intentado demostrar que el éxito, los valores humanos básicos, el desarrollo personal, y un sentido profundo de realización no son mutuamente exclusivos, sino que están mutuamente unidos. Son la base para el éxito, tanto profesional como espiritual. Y al fin y al cabo es de eso de lo que estamos hablando aquí. Una vida bien vivida es una vida que une tierra y cielo, materia y espíritu, supervivencia y amor. Todos nosotros dependemos los unos de los otros y del misterio que en este libro denomino, de forma libre y profana, la red de la vida. Recientemente, en diciembre de 2006, a mi madre le amputaron la pierna debido a una complicación por diabetes de tipo 2. Sólo le dieron un 5-10 por 100 de posibilidades de sobrevivir a la operación. Tres meses después estaba entusiasmada con su nueva prótesis y sólo pensaba en salir a bailar con mi padre que ha sobrevivido a dos brotes de cáncer y actualmente tiene 80 años. Todas las mañanas deberíamos recordar que empezamos un buen día, y si somos capaces de levantarnos de la cama sin ayuda, entonces es un día estupendo.

TÍTULOS PUBLICADOS